JN076989

SEIGENSHA

企画展「美男におわす」

埼玉県立近代美術館

2021年9月23日（木・祝）～11月3日（水・祝）

島根県立石見美術館

2021年11月27日（土）～2022年1月24日（月）

目次

ごあいさつ

このたび、埼玉県立近代美術館と島根県立石見美術館の共同企画により、「美男(びなん)におわす」展を開催いたします。

本展は、絵画をはじめとする日本の視覚文化に表された美少年、美青年のイメージを追い、人々が理想の男性像に何を求めてきたかを探る試みです。

日本美術史において「美人画」とよばれることの多い女性像は、江戸時代の浮世絵や近代絵画において隆盛をきわめ、現在も高い人気を誇っています。一方、男性像に目を向けると、その時々の社会情勢や流行、男性観などが反映された作品が数多く存在するものの、「美男画」といった呼称でひとくくりにされることはありませんでした。

本展のタイトルは、与謝野晶子(よさのあきこ)の歌「かまくらや　みほとけなれど　釈迦牟尼(しゃかむに)は　美男におわす　夏木立かな」から引用しています。晶子が鎌倉の大仏の姿に自分なりの「美男」を見いだしたように、人々は男性像に理想を投影し、心をときめかせてきました。あるときは聖なる存在として、またあるときは憧れのヒーローとして、あるいは性愛の対象として、さまざまな男性像が制作され、受容されてきたといえます。

しかしながら、美術史の分野において、男性を美しいものとして表現すること、見ること、そして語ることには、まだ十分な光が当たっているとはいえません。ライフスタイルや嗜好が多様化した現在、果たして「美男画」との出逢いはどのようなものになるでしょうか。

時代やジャンルをまたいだ多彩な男性像を一堂に集め、その制作や受容の背景、そして男性像のこれからについて考察を試みる本展を契機に、多様な表現や議論が活性化することを願います。

最後になりましたが、本展覧会を開催するにあたり、貴重な作品をご出品いただきましたご所蔵者をはじめ、ご協力を賜りました方々に対し、深く感謝の意を表します。

2021年
主催者

Foreword

It is a pleasure to be holding this exhibition *Handsome Men They Are* jointly planned by The Museum of Modern Art, Saitama and Iwami Art Museum.

This exhibition is an attempt to trace the images of handsome boys and young men represented in paintings and other forms of visual culture and to find out what the people sought in the ideal image of a male.

Female figures are often referred to as *bijinga* (lit. pictures of beautiful people) in Japanese art history. They were in full flourish in Edo-period ukiyo-e and modern painting, and are still highly popular today. Meanwhile, turning our eyes to male figures, although many artworks reflecting the social circumstances, vogues, views of the male, etc. exist, they were never referred to collectively as *binanga* (pictures of beautiful males).

The Japanese title of this exhibition *Binan ni owasu* is quoted from a tanka by Yosano Akiko, which translates as "Here in Kamakura / sits Sakya-Muni / The Holy Buddha / A handsome figure / Among the Summer Trees." Just as Akiko identified her idea of a "handsome man" in the Great Buddha of Kamakura, people have projected their ideals on male representation and fluttered in excitement. A variety of male images have been produced and received as holy existences, longed-for heroes, or subjects of sexual orientation.

However, light has still not been shed amply on expressing, viewing, and discussing males as beautiful subjects in the field of art history. How will our encounters with "pictures of beautiful males" prove in the present day amidst diversification of lifestyles and preferences?

By gathering a variety of male figures from diverse periods and genres together, we shall examine the background of how they were produced and received and the future of male images. We hope this exhibition will provide an opportunity for manifold expressions and discussions to be activated.

Last but not least, we are most grateful to the owners who so generously agreed to lend us their precious works and all others concerned for their cooperation in organizing this exhibition.

2021
The Organizers

凡例

・本書は、企画展「美男におわす」（埼玉県立近代美術館、2021年9月23日（木・祝）〜11月3日（水・祝）／島根県立石見美術館、2021年11月27日（土）〜2022年1月24日（月）の公式図録として刊行するものである。
・展覧会の出品作品は会場ごとに異なり、また会期中に展示替えを行う。そのため本書に図版が掲載された作品のうち会場・会期により展示されていない作品がある。
・本書は、展覧会出品作品の全ての図版を掲載していない。出品作品についての詳細は出品リストに掲載した。
・図版頁は、作品番号、作家名、作品名、制作年を記載し、寸法（縦×横cm）等の詳細は出品リストに掲載した。本文テキストの作品名は《　》で、書籍、定期刊行物は『　』あるいは「　」で表記し、掲載作品図版は（cat.no.　）で示した。なお、早稲田大学坪内博士記念演劇博物館の所蔵作品の制作年については、所蔵先の表記に基づき、題材となる歌舞伎が上演された上演年を表記した。
・作品タイトル、サイズなどの作品情報は、原則として所蔵先より提供された情報によった。
・歌舞伎役者の世代を示す表記については、同じ意味をもつ言葉で例えば「十二世」「十二代」などの表記があるが、現在は「十二代」と表記するのが一般的なため、本文中ではこちらを使用した。ただし、作品タイトルは所蔵者の提供の表記に従うのを原則としており、一部表記が異なる場合がある。
・漢字の字体は、原則として新字体、常用漢字に改めた。また、変体仮名や合字は通行の仮名にするなど適宜修正した箇所がある。ただし「市川団十郎」を「市川團十郎」と表記するなど、固有名詞で旧字体を使うのが一般的な場合は、この法則によらない。また、使用される引用文の表記についても、各執筆者の判断によった。
・人物の年齢については、満年齢を原則とした。ただし、生年が不明な場合や伝承の場合など、執筆者が意図・判断する年齢表記がある場合は、その判断によった。
・「日本美術院展覧会」は「院展」と略して表記した。
・作品の番号と図録の掲載及び展示の順は必ずしも一致しない。
・章解説と作品解説の執筆者は、文末に以下の略号を用いて記した。五味良子（GR）、佐伯綾希（SA）、左近充直美（SN）、川西由里（KY）
・特別座談会（p.10〜25）の構成は、青幻舎の楠田博子が聞き手・編集を担当した。

「美男におわす」展　特別座談会

美男はあなたの心のなかに

左近充直美（島根県立石見美術館）
川西由里（島根県立石見美術館）
五味良子（埼玉県立近代美術館）
佐伯綾希（埼玉県立近代美術館）

「美男におわす」企画、始動のきっかけ

——まずは本展覧会の企画が生まれた経緯から、お聞きしたいです。

左近充　最初に企画を提案した私から口火を切ります。本展覧会のきっかけは2014年から2015年にかけて、島根県立石見（いわみ）美術館（以下、石見）で開催した「美少女の美術史」[*1]（以下、「美少女」展、図1）という展覧会でした。「美少女」展が非常に好評で、会期が終了した段階で「美少女をテーマにしたのなら、ぜひ次は美男もテーマにしてほしい」という意見が内外から寄せられて、じゃあやろうかという話になったんです。それで、学芸員のなかでは私が美男子好き、という話がなぜか上がり（そんなことはないんですけど…）、私から具体的に提案する、ということで進めてきました。過去のメモを見ると、2016年3月には館内の学芸会議で「美男」展の概要を提案しているので、この発案と企画自体は今から5年ほど前から動いているんですね。「美少女」展については担当者だった川西さんから、どんな展覧会だったのかを話してもらった方がいいかなと思います。

川西　実は「美少女」展の前段として、2010年に「ロ

図1｜「美少女の美術史」展実行委員会編
『美少女の美術史
浮世絵からポップカルチャー、現代美術にみる“少女”のかたち』展覧会図録
2014年　青幻舎

ボットと美術」[*2]（以下、「ロボット」展）という展覧会を、当館と青森県立美術館、静岡県立美術館の三館で開催したのですが、その時にうたったのが「視覚文化の展覧会」だったんですね。日本の美術館ではジャンルや時代ごとの棲み分けがされていることが多く、古美術、近代美術、現代美術、サブカルチャーといった別々の枠組みで展覧会が開催されるのが一般的です。そういう区切りを一度なくして、設定したテーマに関するあらゆる表現を等しく扱ってみよう、というのが「ロボット」展、そして次に開催した「美少女」展の考え方でした。

「ロボット」と「美少女」は現代日本のサブカルチャーにおける二大モチーフといっていいものなので、「ロボットの次は美少女でしょう」というノリで第二弾の計画を始めた頃に、「美人画」展はたくさん開催されてきたのに対し、「美少女」展と銘打ったものはなかったことに気づきました。でも実際に「美人画」展に並んでいる作品には「美少女」といっていい人物像がたくさんある。これも、「浮世絵の美人画」とか「近代の美人画」といったカテゴリーで展覧会が組まれていたせいかもしれませんね。そこで、現代のポップカルチャーを象徴するアイコン「美少女」を掲げて、時代もジャンルも絞らずに広く見てみよう、という企画になったんです。「美少女」展の後、青森・静岡・島根の学芸チーム「トリメガ研究所」[*3]に「次は美少年展ですね」というお声を複数いただいたんですが、私以外のメンバーが乗り気じゃなくて違う展覧会をやることになり、イケメン好きで知られる左近充さんが（笑）、「では私がやりましょう」と手を挙げてくれて、今に至っています。

左近充　どういう作品で展覧会を組み立てていくかを具体化するにあたって、「美男」に関する作品はそうそう一箇所の美術館にまとまっていないので、方々からお借りしないと成り立たない。そうすると一館単独の規模では、かなりこじんまりとした内容になってしまう。それではつまらないし、できれば地方館ならではの面白い企画が一緒に出来ないかと、今まで展覧会を一緒にやったことがある美術館にお声がけしたんです。2018年に埼玉県立近代美術館（以下、埼玉）から手を挙げていただいて、正式にお返事をいただいたという流れがありました。埼玉さんは、どうして今回の展覧会を引き受けていただけたんでしょうか。

五味　以前、石見さんとは原田直次郎（はらだなおじろう）展[*4]でご一緒させていただきました。その展覧会の担当者から「今度は美男子の展覧会を石見さんがやるらしいぞ」という情報を得て、便乗した具合です。

左近充さんが先ほどおっしゃっていたように、地方館同士の協力関係で「お金はあまりないけれど、地方からなにか面白いことを発信できないかな」という気持ちがありました。埼玉は、東京に近いということもあって、東京の展覧会や美術館と同じことをやっていても、独自の特色を出せないわけです。予算的にも、いわゆる「ブロックバスター展」[*5]と呼ばれるような都内で開かれる大型の展覧会には対抗できない。そういうものと差別化して、埼玉的な立ち位置を示していくためには、「他ではやらないような面白い切り口の展覧会をやるべきだ」というのが、うちの館では一種の伝統でもあります。メジャーな東京路線とはちがい、「インディーズの美術館」を自負しておりますので、そんなところもあって、今回はご一緒させていただいた次第です。

左近充　埼玉さんと石見で打ち合わせを重ねて、内容を組み立てていきましたが、2021年の開催に至るまでには、新型コロナウイルス感染拡大による延期などいろいろありまして、今回ようやく実現する運びとなりました。

タイトル「美男におわす」の由来を聞く!

佐伯　「美男におわす」というタイトルはいつ決まったんでしょうか。実は、私は2020年から途中参加したので、その経緯を詳しく知らないんです。私が参加した時にはすでに内容やコンセプトがかなり固まっている段階だったので、「どういう展覧会なんだろう」と。その後、「美男とは」ということを深く考えるようになり、どんな作品や展覧会を見ても頭の片隅に「美男かどうか」という視点を持つようになって(笑)、今に至ります。

左近充　タイトルは、与謝野晶子の「かまくらや　みほとけなれど　釈迦牟尼は　美男におわす　夏木立かな」という歌に由来しています。当初、この展覧会を提案した時から、文学的な香りもする仮題として付けていたものです。この歌を知っていれば「美男におわ(御座)す」であるとピンとくるのですが、「美男、匂わす」と捉えられる場合もあって。「美男を匂わしているのなら、それはそれで間違いじゃないしいいかな」とも思いました(笑)。「美男におわす」が正式なタイトルになったのは、埼玉さんとの打ち合わせのなかで、他にもタイトル案を出し合って決まったという感じですよね。

佐伯　最初にタイトルを見た時、いいタイトルだなと思ったんです。作品に表されたものが「美男かどうか」は、作り手と受け手にレイヤーがあるじゃないですか。鎌倉の大仏にしても、作り手はある種の理想像として「仏」を作っているわけですが、その理想の造形と、与謝野晶子がそこに見出す「美男」の姿にはズレがある。晶子は表現されたものをそのまま受け取るのではなく、自分の中で主体的に愛しいものや美しいものに対する感情を喚起して、その感情を「美男」という言葉に込めているのです。例えば現代の二次創作でも、原作に少しだけ登場するキャラクターを膨らませたり、背景を想像したりして、魅力的なストーリーに仕立てるような場合がありますよね。作り手の表現と受け手の解釈、その二つのレイヤーにおいて「美男」が成り立っていることを示す、とてもいいタイトルだなと思いました。

「美男画」を集める展覧会の構成って?

左近充　企画当初から「美人画があるのに、どうして美男画というジャンルはないのか」という疑問がありました。美男を扱った作品が全くないわけじゃないけれど、ひとつのジャンルとしては捉えられていない。価値観が多様化していくなかで、現代に繋がっていく趣向の変遷を追うという意味では、「美男」を総覧していくことは大事なことだなと感じていました*6。今回の狙いとしては、美術作品で表現されてきた「美少年・美青年像」を見ていき、描かれた絵が支持されてきた背景や時代に注目すると、その時代や作家特有の視点とか特徴が浮かび上がるのでは、それらが表出すれば面白い展覧会になるんじゃないかな、という思いがありました。

ただ、「美少女」に対して「美少年」と設定してしまうと、扱う作品の幅が狭まりすぎてしまう。実際に作品を探していくと、圧倒的に成人した男性像が多く、そこにかっこよさといった「美男像」が課せられている傾向がありました。「美少年」だとどうしても中性的な美や女性に近い美しさを求めた作品が多くなるので、もっと年齢の幅を広げて、「美少年」も含む「美男」という形で検証していくことにしました。これも初期の頃から埼玉さんとお話しして、「美少年」展ではなくて、「美男」展という枠でやっていこう、と進めてきました。

五味　「美少女」や「美女」といった場合は、男性の場合に比べると社会的にイメージされるものが割と共有されやすい傾向にあると思われます。一方で「美男」や「美少年」はもう少し漠然としていて、社会のなかでの共通認識にもう少し幅や揺らぎもあるというような意見が最初のころに出たと記憶しています。そういう経緯もあり、今回は「美少女」展に比べると、幅を持たせた男性像を前提に作品を選んでいきました。

左近充　「美」というものを男性のなかに求める場合は、見た目の美しさ、容貌だけではなくて、その人の行動、精神性も含まれると思われるため、章立てや構成を考えていく時には、どういうふうに組み立てていくと分かりやすくテーマ立てでできるかというのも課題でした。美術史を追っていくと、戦前までの作品は特に、女性独自の視点というのが欠けている。男性作家が描く人間像と同じ土俵に、女性の視点が上がらない背景がまずあって、女性が自由な表現で描きたいものを描き始めたのは戦後以降だと思うので、そういう意味ではどの時代からの作品を紹介するかも含めて議論しました。

「美男」にまつわる作品で展覧会をつくるということ

左近充　具体的にどの作品を出展するかリストを組むところで、あきらめた作品とかもじつは結構あるんですよね。場所柄お借りするのが難しいとか、他に出展予定があるとか。色々な事情もあって、リストが終始大きく動いた感じがあります。また、今回は原則として日本で生まれた作品に対象を絞りました。「美人画」というジャンルが400年ほど続いていることは日本に特徴的な現象ですし、これまでに生まれた日本の美術の流れと現代の文化を結び、今私たちが生きる社会について考えることができればという思いを込めました。現実的な問題として、予算やお借りできる作品の範囲に制約があり、国内限定になったという側面もあったのですが…いつかあらためて、古今東西の美男が集結する展覧会ができたらいいですね。「美男」展の章立てを組み立てたなかでひとつ大きく欠けているのが、『源氏物語』の光源氏や『伊勢物語』の在原業平（p.62〜63コラム参照）といったノーブルな人たちをテーマにしたジャンルです。作品がないわけではないですが、今回は残念ながらお借りするのは難しく、なかなか成り立たなかったということがあります。

五味　そうですね。最初のころは挙がっていた「男装の美女」というジャンルも落ちましたよね。「宝塚系」や手塚治虫さんの『リボンの騎士』*7などが挙がっていました。あとちょっとややこしい話ですが、歌舞伎で男装をしている女性の役を男性が演じる作品などもあり、それは並べたときに他の美少年とヴィジュアル的に一体化してしまうので、カテゴリーとしてちょっと今回はちがうよねという話が出たのを覚えています。

左近充　展示を目的としているので、目に見える画や立体になって表現されているということが出展作品を決めるときは前提になります。こういう人物の作品を出したいなと思っても、文学や文章のなかで表現されているものも多くて、それを外して美術展で表現するとなると「美男」という概念が結構狭まるなという印象でした。

佐伯　私も同じような感想を抱きました。この展覧会にあたっていろいろ調べたのですが、「文学作品に登場する美男」を描いた画が思ったよりも少なかったんです。例えば、光源氏の顔が直接的に描かれるのではなく、女性にフォーカスしているとか。20世紀に入ってからの小説でも、美男や美少年が出てくるものはあっても、その表紙や挿絵に見目麗しい男性が描かれているかというとそうでもなかったり。これも出展できたらよかったなと思うのは、曲亭（滝沢）馬琴の『八犬伝』*8を題材にした作品ですね。馬琴には『近世説美少年録』という大作もありますよね。

川西　どんな展覧会でもそうですが今回は特に、テーマじたいが「男性像」という大きなもので、しかも時代やジャンルを問わないとなると、あらゆるタイプの作品を網羅するのは無理です。たとえすごい専門家が揃っていたとしても、ひとつの展覧会で誰もが満足するラインナップを揃えるのは至難の技なので、今回は思い切って、企画者四人の「推し」でいこうということにしました。

議論の中で外していったもののひとつが、筋肉隆々の「マッチョ系」の作品です。私たち四人にそこが好みの人がいなかったっていうのもあるんですけど（笑）。一時は迷いがあって、たとえば荻原守衛の《文覚》*9（図2）などは展示できたらいいんじゃないか、と話したこともありました。それで改めて、日本における美男の系譜についてつらつらと考えたんですが、光源氏も業平も、江戸時代の色男も、美術や文学*10においては顔以外の身体の美しさがほとんど描写されていません。衣装や持ち物、詠んだ

図2｜荻原守衛《文覚》
東京国立近代美術館蔵
Photo: MOMAT/DNPartcom

歌、振る舞いなどがステキ、っていう評価。光源氏はそれに加えて、全ての女性を平等に愛する広い心とか、経済力とか、見た目ではない要素がプラスされています。つまり江戸時代までの日本には男性の肉体に「美」を見出す習慣がなかったのですが、明治以降に西洋絵画と彫刻が入ってきて意識が変わった。特にロダンの影響は大きくて、西洋に倣った「マッチョ系」の肉体表現が始まりますが、それまで日本人が考えていた「美」とは少し違う、「力」や「雄々しさ」という意味合いが加わった美意識なんじゃないかと思います。

あえて選ばなかった作品から見える「男性性とは何か」

――『リボンの騎士』など女性の男装という話が出ましたが、逆もあるじゃないですか。今回は、かわいい女性に扮する男性やマッチョ系の男性を外されたというのは、「美男ってなんだ」ひいては「男ってなんだ」というところを考える余地があるというか。見る側が「男性性」を問うことに繋がる作品のセレクトにもなっているんじゃないかと思ったのですが、いかがでしょうか。

川西　選ばなかった作品のひとつに、石見美術館の所蔵作品、益田元祥(ますだもとよし)[*11]という戦国武将の肖像画(図3)があります。同様の武家肖像画にお借りできるものがなかったこともあって、一点だけ孤立したので、リストから外してしまいました[*12]。武家の肖像画は先祖を祀る場に掲げられるものですが、家の権威を示す目的で描かれるので、人の目を楽しませる絵とは機能が違うんですよね。例えば4章で紹介するフィクションとして描かれた武者絵とは違って、見る側が主体的に描かれた対象を鑑賞したり妄想したりするのではなく、見る側が描かれた対象を見上げなきゃいけない性格のものです。その絵の力が及ばないところにいる現代の私たちが、「あらイケメンな殿様ね」と見ることはできますけどね。描かれたのが男か女かというだけでなくて、機能的にも非常に「男性性」の強い作品です。これと近い理由で出品していないのが「戦争画」、近代に描かれた戦争記録画やプロパガンダとしての兵士の図です。100年後には変わっている可能性もありますが、今の私たちにはまだ、「美男」として眺めることを許さない力が働いているように思えて、出品候補に挙げられませんでした。

佐伯　「男性性って何だろう」という問題でいうと、異性装もそうですし、いわゆる「両性具有」的なイメージとか、ジェンダーの枠を問うような作品も候補に挙がっていましたよね。

図3｜狩野松栄《益田元祥像》
桃山時代（重要文化財）
島根県立石見美術館蔵

五味　そうですね、最初のころは、今残っているものよりも候補の数としては挙がっていましたね。現代に近づくと写真表現を用いた作品が増えてきて、素敵なものも多いんですけど、いわゆる肖像としての写真は外しました。分かりやすくいうと芸能人や街頭でのスナップショット的なものを落としました。

今残っている作品は、個人性を出してないというか、イメージとしてのモデルが特定の誰かを示していないんですよね。肖像としての写真ないし作品というのは、今回は基本取り上げていないと思います。どちらかというと、特に近代までの作品は、絵のなかに初めからストーリーがあったり、登場人物の関係性が描かれていたりする作品、「これは美男ですよ」という裏付けや保証のある作品が選ばれています。そうではない生身の人間や特定の個人、その人だけが持つ魅力にフォーカスした作品よりは、描かれている人物が歴史的・社会的にも美男として認知されていますよという裏付けを持って登場する作品が中心になっているのかなと、改めてリストを見ていて感じました。

川西　私は「美人画に対する美男画があるとしたらどういうものだろう?」という問いからこの企画に参加したので、セクシュアリティをめぐる議論にまで踏み込むと、一つの展覧会で扱える範囲を超えてしまうと思い、性の多様性に関する現代の作品に積極的にあたれませんでした。重要なテーマだという認識はあるのですが、「美男」というキーワードと結び付けていいのかな、という戸惑いもあって。

ところで今、五味さんがおっしゃった「描かれている人物が歴史的・社会的にも美男として認知されていますよという裏付け」は、大きいですよね。例えば出品されている源頼朝(みなもとのよりとも)像(cat.nos.89~90)は、実在の人物ではなく頼朝にまつわる「物語」を画家の着想によって描いた作品です。月岡芳年(つきおかよしとし)は《魁題百撰相(かいだいひゃくせんそう)》(cat.no.76)で、上野戦争に取材しつつも、流血の場面を過去の物語に見立てて描きました。現実の事件をそのまま描くと権力者から睨まれるという理由に加えて、生々しすぎると見る側もひいてしまうという面もあったのではないでしょうか。『サムライとヤクザ ――「男の来た道」』(氏原幹人著、筑摩書房、2007年)の中に、フィクションで描かれるヤクザについて「直接わが身に害が及ばない限り、人々は快哉を叫ぶ」という趣旨のことが書かれていて、まさに4章の「戦う男」の絵と同じだなと思いました。

佐伯　マッチョ系の話が出ましたが、西洋の美術アカデミー制度の中で描かれてきた男性ヌードって、「これは虚構であり歴史物語ですよ」ということを示すための裸体表現なわけですよね。ナルシスティックな自己投影の産物という側面もあるのですが、基本的には現実の男性と切り離された一種のファンタジーであって、男性自身が見られる脅威を覚えないような身体だと思うんです。公共の場で多くの視線に晒されながらも、その視線を無化するような構造をもっている。そういったアカデミックな男性ヌードが日本に入ってきた時に、それまで人々が男性像に向けていた視線とどのような関係が生じたかを、もうちょっと考えてみたいです。

川西　裸体表現も含めて、西洋の美術概念が近代の日本に定着していくなかで、男女それぞれを描いた作品に向ける視線がどう変わったかは興味深いですよね。今まで女性像に比べて男性像が少ないというのを感覚的にとらえてきたんですけど、展覧会で発表された作品が実際どうだったのか確認した方がいいと思って数え始めたんですが……。

——ええ!? すごい！

川西　いえ、作業が間に合ってなくて中途なので悪いんですが。「モダンボーイ」が描かれた絵を探したかったので（p.104〜105コラム参照）、昭和の最初10年分の帝展（帝国美術院展覧会）の日本画、洋画、彫刻の出品作の男性像・女性像の数を見てみたんです*13。

昭和初期の帝展の日本画は、現在も優品とされている作品が輩出された、美人画が盛り上がった場だったんですが、男性像も少なくなくて、だいたい女性像の5〜6割ぐらいの数は入選しています。源平合戦のような歴史画や、浮世絵や大和絵を下敷きにした時代風俗の男性像、中国に由来する画題などが多く見られます。とはいえ風景や動植物を描いた絵も多いので、全体から見れば女性像も男性像もそれほど多くありません。

逆に洋画では人物像の割合が高く、そのほとんどが女性像です。男性像の割合は少なくて、女性像の2〜3割。日本画と違って、歴史や物語に取材した絵はほとんどありません。子どもや老人ではない、青年、壮年の像では自画像や肖像画、労働する人々などがあります。女性は裸体が多いのですが、男性の裸体像はほとんどありません。

彫刻はまた違う傾向があって、全体の6〜7割ぐらいの作品が女性像で、その8割以上が裸体。男性像は女性像の4割ぐらいの数で、年によっては裸体が半数以上のこともありました。

で、やっぱり女性像に比べ男性像が少ないんだ、と思ったんですが……これが、明治40年に文展（文部省美術展覧会）が始まった頃の状況を見ると違うんです。日本画では男性像の方が多いし、彫刻も年によっては男性像の方が多い時もある。画題もやっぱり昭和とは傾向が違うんですよね。この座談会に間に合わなかったんですけど、明治、大正、昭和と順を追って傾向をとらえていきたいです。

——この間、東京国立近代美術館で「眠り展：アートと生きること」*14が開催されていました。冒頭の解説では、そもそも洋画のペインターに男性が多いこともあり、「眠る」をテーマに描かれる対象はほぼ女性しかおらず、そもそも「見る・見られる」の関係が非常にアンバランスであることが指摘されていました。

佐伯　埼玉でもちょうど「横たわる」ということをテーマにしたコレクション展示*15があったんですけれども、そのテーマに合う作品を探していた時も圧倒的に女性が多かったです。しかも、ほぼ裸婦なんですよね。男性だと、死んでいるとか、人間でない別の姿になって横たわっている作品はあっても、女性像のように横たわっている作品が収蔵品の中からは見つからなくて。無防備な男性の姿を見ることや描くことへの忌避感がやっぱりあるんだなと思います。見る側にも、女性像には違和感がなくても、同じポーズの男性像を見ると引っかかりを覚えるような心理があるかもしれません。
川西　眠り以外に、読書とか音楽とか風呂上がり、女性が何かに没頭したりくつろいだりしている無防備な姿を垣間見するシチュエーションが美人画の常套手段ですが、男性像ではあまりなかったですね。それを試みたのが木村了子（きむらりょうこ）さん（cat.nos.105~107）です。
──面白いです。「美男」がどんどん概念化している。いろいろ考えちゃいます。

男性をモチーフにした絵画の少なさ、その訳とは

左近充　日本の洋画にも男性の肖像がないわけじゃないけれど、個性はあってもそれが前面に出て、遊びというか見る側が想像できる余地がない。今回の作品の選択でも洋画作品がすごく少ないですよね。洋画で「美男」の作品を探すと、結局描かれている対象（個人）を美しい男と見なすかどうかという「好みの問題」になってしまう。背景に物語性のある歴史画分野が確立している日本画のように、分かりやすく美男が描かれていないというか。独自性が強すぎて選びにくいものは外しました。「学芸員の見る美男」に視点を置いても、人によってちがい、好みが分かれてしまう。苦労しましたね（笑）。逆に日本画には「美男」作品は多い。日本画では簡単に見つかるものが、洋画では見つかりにくいなっていうのがありましたね。
川西　大正時代以降の日本の油絵では、女性像でも整った顔の表現というのはあまりないですよね。明治時代には顔立ちも含めて理想的な女性像を描いた、例えば黒田清輝（くろだせいき）（1866~1924）の《湖畔》[*16]などがあります。黒田と同世代の岡田三郎助（おかださぶろうすけ）（1869~1939）は昭和期まで「美人画」といえる作品を描き続けますが（図4）、例えば小出楢重（こいでならしげ）（1887~1931）や梅原龍三郎（うめはらりゅうざぶろう）（1888~1986）の裸婦像は、顔も裸のボディも、油絵具でねっとりと描く。描かれた女性の美しさではなくて「オレのタッチを見ろ！」みたいな。
五味　特定のモデルを使った裸体の秀作は、それが美男かどうかは見る人の主観になってしまいます。日本画と同じように、明治中後期ぐらいにリバイバルで洋画の世界でも日本の神話を題材にした作品が生まれました。山本芳翠（やまもとほうすい）[*17]の《浦島》（図5）やもう少

図4｜岡田三郎助《黒き帯》
1915（大正4）年
島根県立石見美術館蔵

図5｜山本芳翠《浦島》
1893~95（明治26~28）年
岐阜県美術館蔵

しあとの時代に青木繁[18]が描いているような神話をテーマにした作品（図6）は、出せないこともないかもしれないけれど、それがやっぱり美男かどうかは見る人の判断に分かれてしまう。洋画は本当に難しいなっていうのが、私も探していて感じたところです。あと、大正辺りの日本画系譜のデロっとした感じの作品も、他の展覧会とかぶってしまって出せなかったものとかもありましたよね。甲斐庄楠音[19]の《毛抜》とか。

川西　若衆が髭を抜いているという生々しい姿……ジェンダーの枠組みをゆさぶる作品ですから、出したかったですね。

五味　出したかったですよね。

川西　大正時代にはタブーに挑戦するような退廃的な女性像が描かれましたけど、その代表的な作家である島成園[20]（図7）が男性像を描いてないのが残念ですね。たぶん彼女なら、環境が整えば面白い男性像を描けたと思います。女性が女性の裸を描くのはギリギリ許されたけど、女性が成人男性を描くには、超えられないジェンダーの壁があったんでしょう。

五味　そうですよね、なぜいないのだろうっていうぐらい。「美少女」展の時の作品リストを参考にこの人描いてそうだなって目星をつけて「美男」作品を探すんですけど意外にない。中原淳一の作品も女の子はいっぱいなんですけど、男の子は描いてないなとか。当時の描きにくい環境っていうのがあったんでしょうか。

マンガ文化が美術に与えたもの

左近充　そういう意味では、特に明治維新以降、いわゆる美術といわれるものが成立していく過程から戦前までは、理想像が強く前面に押し出された作品が求められる時代だったのかなという感じがします。今はもっと身近で現実的で、現代の作家たちが表現するものも、ファンタジーというよりはリアルを追求した作風が多い。今回の出品作のなかでも、現代作家の作品は充実した作品が多いなと感じるのですけど、これについてどうでしょうか。

川西　この展覧会をやることになって、まず現代作家で思い浮かんだのが木村了子さん（cat.nos.105～107）でした。意図的に従来の美術史をひっくり返す

図6｜青木繁《わだつみのいろこの宮》
1907（明治40）年（重要文化財）
石橋財団アーティゾン美術館蔵

図7｜島成園《無題》
1918（大正7）年
大阪市立美術館蔵

ような作品を描く、非常に面白い作家さんですね。それから吉田美希子さん（cat.no.109）や唐仁原希さん（cat.nos.99〜101）は、マンガやアニメ、ゲームのイメージを拠りどころにして制作しています。現実の男性ではなく、フィクションの美少年・美青年が現代作家のモチーフになっているという現象が、この展覧会の見せ場の一つといっていいのかとも思います。

左近充　それはBL（ボーイズ・ラブ）や耽美など、女性が「こうなるといいな」という妄想を創作しやすい時代になった点にも影響があるのかなという気がします。ひと昔前までは、今のような形では表現しづらい面もあったし、「BLが好き」っていうこともなんとなくおおっぴらに言いづらい時代だったと思います。今もそれは少しあるのかもしれませんが、受容のあり方という意味では、本当に時代が変わったし、常に変わり続けているのかなっていう感じがしますね。

川西　マンガや雑誌といったサブカルチャーが先に走って、それに美術が追いついたという感じですかね。

時代とともに多様化する男性像と本展の意義

左近充　言葉の変化というのも象徴的だなと思います。「渋い」とか「ハンサム」とか、今はもうあまり使われていない。刻々と時代が変化するとともに言葉も変わり、同時に、「何をかっこいいと思い、誰をイケメンだと思うか」という美的な理念も変わり、結果的に表現されるものも変化する。昔は理想として求められる「ヒーロー像」には大抵典型があったのに対して、今は受容の幅が広がったように感じますね。かといって、完全な自由でもない。だからこそ、今こうした展覧会をやることには意味があると思うんですけど。

佐伯　展覧会という点でいうと、さまざまな男性像を包括的に捉えようとする展覧会は、最近国内外で増えている印象があります。例えば、パリのオルセー美術館で男性のヌードを扱った「マスキュラン／マスキュラン」展[*21]だったり、東京国立近代美術館の「男性彫刻」展[*22]だったり。男性像というものを改めて考えようという流れはあるような気がしています。

五味　ここ数年は「#MeToo運動」や「東京五輪2020」に派生した問題など、ジェンダーに関する大きな動きがあり、日本国内でもジェンダーへの意識が高まっていて、それが共有されてきたということが割とはっきり見える形になってきたと思うんですよね。「美少女」展を開催した時と今とでは社会の状況が変わり、もし現在の状況で「美少女」展をやったとしたら、また違った展覧会になるのかもしれません。「『美少女』展でやったことの裏返しをそのまま『美男におわす』でやればいいのか」というと、たぶんそうでもないっていう話をちょっと前に佐伯さんともしたんです。これまで女性に対して投げかけられてきた好奇のまなざし、あるいはモノとして見るようなまなざし、単に愛でる対象として投げかけるようなまなざしを、そのままひっくり返して男性に投げかけた作品を集めて並べるだけだと、ちょっと物足りない。それだと今の時代が求めるもの、やるべき展覧会とはまたちがっちゃうんだろうなという話をしました。女性に対して投げかけられてきたまなざしのそのままの反転やある種の復讐をやりたいわけではなくて。結局は多様性を示すという言葉に落ち着いたんですけど。

──分かります。「やられたらやり返す」じゃだめですよね。

五味　「美男」というのはひとつの「ものさし」であって、そのなかにもいろんなタイプがあり、いろんな人間がいることを示せる可能性があるんじゃないかなと、私は今回展覧会を準備するなかで考えていて、そういうところを見せられたらいいかなと思っています。最近の風潮って世のなかに「清く正しいもの」を強く求めている感じがあります。「多様性」と言いつつも、人とちがうことを「痛い」と思われ、はみ出すのを恐れてしまう。常にマジョリティでありたい気持ちもけっこう強いように見えるんですよね。だからといって、それ以外のマイノリティを排除する方向にならなければ別に構わないかもしれないんですが、正しいことだけを求める社会に対してちょっと窮屈に感じることもあります。それに対する「プロテスト」までいかないにしても、風穴開けるみたいにできたらホームランでしょうか。

川西　「美少女」展のお客さんは女性の方が多かったんです。私はそう予想していたんですが、一緒に企画した青森県立美術館の工藤健志(くどうたけし)さんが「美少女展には男の客ばっかり来るだろうと思っていたけど違った!」と言うので驚いたんです。少女漫画の主人公は美少女ばかりですし、美少女アイドルが好きな女性もたくさんいますよね。女性は同性の姿を鑑賞することに慣れているけど、男性にとってはそうじゃないんだ、ということにハタと気づく機会でした。

この展覧会が男性でも女性でも楽しめるものになったらいいんですけど、抵抗のある男性も多そう。でも、恥ずかしがらずに来ていただきたいですね。

今回のキャッチコピーを考える

左近充　少し話が変わるんですけど、「美少女」展のキャッチコピーは「美少女なんているわけないじゃない。」でした。もし「美男」展にキャッチコピーを付けるとしたら、どうでしょうか。

川西　「美少女なんて、いるわけないじゃない。」というコピーは、美少女というのは理念的な存在であって、現実にいるものではない、というような意味でした。

佐伯　「美少女」って、人々の期待や幻想といったものを被せられて、どんどん「肥大化していく」ような概念だと思います。社会に属してないモラトリアム性もあって、そこに「反逆の精神」を読み取ることもできる。「美少女」展のキャッチコピーはそういう生意気さというか、肥大する「美少女」像を背負わされていくことへの反抗心も感じさせますよね。一方で、「美男」はあまり日常的に使われない言葉なぶん、喚起するイメージが多様です。「美少年」と違って成人を含むのでモラトリアム性もないし、概念じたいも肥大していくというより「増殖している」ように感じます。ひとりひとりが異なる美男像を持っているから、どんどん増えていく。

「美男を愛でる」ことって、ちょっと低く見られるところがありますよね。「イケメン目当て」という言葉もあまりいい意味では使われない。そういう見下しへの抗いがこの展覧会にはあるような気がしています。「そんなこと言ったって、美男はいるじゃないか」というような。

左近充　「増殖している美男」というのもいい言葉なので、どこかで使いたいですね(笑)。

キャッチコピー、ちょっと考えたんですけど、「美男は確かに存在する。ただ、それぞれの心のなかに」みたいな。そんな感じがいいかなって。皆さん、いかがでしょうか。

五味　「美男はあなたの心のなかに」でいいと思います。

全員　(笑)

――是非、帯に使わせていただきたいキャッチコピーです!(笑)

左近充　いわゆる「妄想」というか、それぞれ皆さんの心のなかで構築した美男像があって、見る側も作る側も心のフィルターを通して見てるのかなという感じがしました。どの見方が正しいかはちょっと分からないですけれど、美男というものは、美少女よりは存在するんじゃないかという希望も込めて(笑)。

それぞれの心のなかにいる「美男」は?

――そういえば、皆さんがどういう美男像が好きかをお聞きしたいです。

左近充　私はたぶん少数派で、あんまり共感を得られないんですけど、断然「死に際がかっこいい人」が美男だと思うんですね。例えば、木曽義仲(きそよしなか)[*23]という平安末期の源平争乱の時の武将がいて、その乳兄弟で臣下の一人に今井兼平(いまいかねひら)[*24]という人がいるんですけど。この今井の死に際がものすごくかっこよくて。木曽の死を見届けた後、刀の切っ先を口にくわえて落馬し、刀に貫かれて自害するんです。生き抜くのが難しかった時代、これぞと思い定めた主君につき従い、同じところで死ぬ。そういう生き方と二人の絆がすごくかっこよくて。ただ、それはやっぱりリアルではなく、自分の頭のなかの妄想におさまる範囲のものでしかなくて。今回この二人をはじめ、萌え美男本(個人の見解)である『平家物語』関係で美男を探したんですが、それが絵姿になっているものとそうじゃないものがあってとてももどかしかったです。ちなみに過去、もし付き合うとしたらと理想を聞かれて、「死に際がかっこいい人」と答えてきました。残念ながら現実にはいませんでした(笑)。

川西　死に際を見極めてたら、付き合えないって!

全員　(笑)

五味　私は作品のなかから選ぶという発想がなくて、けっこう困ってしまいました。なぜかというと、例えばドラマや演劇を観て、その演目で演じたあの人はすごいイケメンでかっこよかったけど、次に違うドラマに出たり、違う役をやったりすると「えー、前はすごくイケメンだったのに、今回違う」みたいに感じることも結構ありまして(笑)。個人的にはすらっとしてて、目鼻立ちがはっきりしたような容貌の人が好きと自認はあるんですけど。じゃあそのタイプの人が常にイケメンに見えるかというとそうではないらしく、その人に与えられた役やタイミングによるのかもしれないなと思いました。自分の心のなかの美男って実物の生身の人間に与えられた好き嫌いというよりは、イメージの産物だったんだなって改めて気づいた次第です。すみません、だから作品のなかから選べというのは同じ考えで、これが選べないんですよね。極端な話、「今日はこの人がすごく良く見える、明日はまた違う人に夢中になるかもしれない」という宙ぶらりんな感じがあって、選ぶことでその他の可能性を消してしまうことをおそれる自分がいます。「好きな俳優さん、だれ?」とか「好きな画家、だれ?」って聞かれると、いつもそうなんですけど回答に詰まっちゃうんですよ(笑)。皆さんのように、はっきりと「こういう美男が、推しです!」と言えない優柔不断な自分に、今回改めて気付かされました。

佐伯　私も五味さんと一緒で、具体的にこういう人が理想というのは思いつかないです。ただ、自分が男性あるいは男性の表象を見て楽しんでいるなと思うものが二つあって、それが「ヴィジュアル系」と「BL」なんですよね。ヴィジュアル系に関しては、ライブに頻繁に通っていた時期がありました。ジェンダー問わずですが、自分の個性や魅力を生かすようなファッションやメイクを纏って発信している「自己プロデュースのうまい人」を見るのが好きなんです。その点で、ヴィジュアル系はバンドの世界観を徹底的にプロデュースしているし、メイクや衣装によってキャラクターになりきるような部分も面白いです。BLに関しては、「関係の対等性」にほっとできます。異性どうしだと社会的な立ち位置の違いからくる問題が現実的にのしかかってくるんですけど、BLではそこをあまり気にせず楽しめています。もちろん人それぞれいろんな楽しみ方がありますけれども。ここ1年くらいはタイのBLドラマ*25がすごく流行っていて。

全員　へぇ～!

佐伯　2020年の春ぐらいに話題になって、タイの制作会社のYouTubeチャンネルで観始めました。世界中にファンがいて、その人たちがいろんな楽しみ方をしている。それと同時にBLドラマ業界の問題点もだんだん発信されるようになったり、その問題を扱うドラマが出てきたりしています。そういう意味では今、BLを取り巻く環境が大きく変わってきていて、とても面白いジャンルだなと思っています。

川西　出品作品のなかで、どれが一番グッとくるかといえば……高畠華宵(たかばたけかしょう)（cat.nos.77～82）の描く顔ですね。石田美紀(いしだみのり)さんからこの図録にいただいたご寄稿に「華宵顔」という言葉があって「それそれ!」って思ったんですが、伏し目がちな二重まぶたとか、頬から顎にかけての張りのあるラインとか、ふっくらとした唇とか。朝ドラ「おちょやん」*26を観ていて、成田凌(なりたりょう)さんの顔にドキッとした瞬間があって、「あー、今のカット、誰かが描く美少年そのままだった……あ、華宵か!」と気がついてから、成田さんも華宵も、ますます好きになってしまいました。現実の美男と、絵の美男が重なって魅力倍増。この展覧会を見る人にもその体験を味わってほしいです。あなたの「美男」を見つけたら人生がもっと楽しくなる（笑）。

――理想の「美男」は、それぞれにあって本当に多様ですね。次元すら超えていることもある。大変興味深いお話、今日はどうもありがとうございました。

［註］

*1　2014年7月より2015年2月にかけて、青森県立美術館・静岡県立美術館・島根県立石見美術館の三会場を巡回した展覧会。浮世絵から現代美術、ポップカルチャーまでを幅広く扱って「少女」の表現の様々を追う、それまでにない斬新な切り口が多くの耳目を集めた。

*2　「ロボットと美術−身体×機械のビジュアルイメージ」展は、2010年7月から2011年1月にかけて青森県立美術館、静岡県立美術館、島根県立石見美術館で開催された。1920年に誕生した「ロボット」（人造人間）というモチーフが視覚文化のなかにいかに表現されてきたかを振り返る内容で、アート、文学、テクノロジー、マンガ、アニメなど様々な領域を横断した。

*3　「ロボットと美術」展を機に結成された、青森県立美術館の工藤健志、静岡県立美術館の村上敬、島根県立石見美術館の川西由里による仮想のラボ。「ロボットと美術」が好評だったため、「美少女の美術史」、「めがねと旅する美術」（2018〜19年）と続けて展覧会を開催した、公立美術館の連携としては珍しい事例。現在も雑誌『tattva』（ブートレグ）で連載を持つなど、従来にない学芸員のあり方をひっそりと更新中。

*4　2016年2月より9月にかけて、埼玉県立近代美術館・神奈川県立近代美術館 葉山・岡山県立美術館・島根県立石見美術館の4会場を巡回した展覧会。原田直次郎（1863〜99）は、森鷗外の小説「うたかたの記」の主人公のモデルになった洋画家であり、展覧会では日本近代絵画に残した彼の功績の再検証を試みた。

*5　ブロックバスター展とは、大量動員の見込めるメディア主導の大型展覧会を指す。「街の一ブロックを消し去る威力を持つ爆弾」＝ブロックバスターになぞらえた呼称。

*6　美術史・文化史の中の「美少年」や「美男」を扱った文献としては、須永朝彦『美少年日本史』（国書刊行会、2002年）、中村圭子編『昭和美少年手帖』（河出書房新社、2003年）、池間草『美男美術史入門：女子のための鑑賞レッスン』（美術出版社、2011年）、池上英洋、川口清香『美少年美術史：禁じられた欲望の歴史』（ちくま学芸文庫、2016年）などがある。展覧会図録では『江戸の美男子―若衆・二枚目・伊達男』（太田記念美術館、2013年）がある。また『芸術新潮』では2017年1月号「永遠の美少年」、2021年6月号「新・永遠の美少年」と、二度にわたって美少年の特集が組まれている。

*7　『リボンの騎士』は手塚治虫（1928〜89）のマンガ作品。1953〜56年の『少女クラブ』連載以降、手塚自身によって二度アニメ化され、その後もリメイクされた。主人公のサファイヤは、男の子と女の子、両方の心を持って生まれた王女。王子の衣装を身につけ剣を持って戦う姿は、「男装の美少女」「戦闘美少女」の先駆けとなった。

*8　『南総里見八犬伝』は、1814（文化11）年から1842（天保13）年にかけて刊行された、室町時代を舞台とする長編伝奇小説。それぞれ「仁・義・礼・智・忠・信・孝・悌」の文字が浮かぶ霊玉をもつ八犬士が、因縁に導かれて結集する物語。本展出品作家の山本タカト（cat.nos.48〜50）は、偕成社版（2002年）全4巻の装画を描いている。

*9　文覚は平安時代末から鎌倉時代初期の僧で、源頼朝、後白河法皇の庇護を受けた。荻原守衛（1879〜1910）はロダンから影響を受けた彫刻家。《文覚》は第二回文展出品作。若き日に愛した人妻を誤って殺害してしまったエピソードに基づく作品で、筋骨隆々とした男の上半身裸体像。

*10　文学における美男の描写については、ヨコタ村上孝之『色男の研究』（角川学芸出版、2007年）で論じられている。

*11　益田元祥（1558〜1640）は、現在の島根県石見地方を治めた豪族・益田氏の二十代当主。島根県立石見美術館が所蔵する《益田元祥像》は狩野松栄筆、重要文化財に指定されている。ちなみに益田元祥の姿は、乃希《出陣》（cat.no.94）にも登場している。

*12　リストから外す、入れる、というのは、出品依頼をする作品のリストに入れるかどうかの検討のこと。実物を借りてこなければ成立しない展覧会というメディアにおいては、クリアしなくてはならない条件が本や論文への図版掲載よりも多岐にわたる。主には、同じ時期に別の出展が決まっている、所蔵者のご理解を得られない、経費的に難しいといったところ。また、素材が脆弱な日本画や浮世絵については作品保護のため展示期間が制限されることも多く、途中で作品を入れ替えるための「展示替」が発生する。全くタイプの違う作品との入れ替えをするとそのパートで訴えたいテーマが破綻してしまうため、同じカテゴリに入れられ、大きさなども似通ったペアを作ることに学芸員は腐心する。特に本展のような、作家の個展や特定のジャンルの展覧会ではないケースでは、同じテーマにもとづく作品を集めた「章」を設定して展示空間を構成するため、他と性質の異なる作品が孤立するのは避けたいという心理が働く。

*13 帝展出品作の画像確認には、『日展史』8～12（日展、1982~84年）を用いた。

*14 「眠り展：アートと生きること　ゴヤ、ルーベンスから塩田千春まで」は、2020年11月25日から2021年2月23日まで東京国立近代美術館で開催され、同館の収蔵品から多様な「眠り」の表現を紹介した。

*15 埼玉県立近代美術館の収蔵品を複数のテーマに沿って幅広く紹介する「コレクション 4つの水紋」展は、2021年3月23日から5月16日まで開催された。テーマの一つである「横たわる」のコーナーでは、レオナール・フジタ《横たわる裸婦と猫》などを展示した。

*16 1897（明治30）年、第2回白馬会展出品作で、1900年のパリ万博にも出品された黒田清輝（1866~1924）の代表作。明るい色彩で描かれた、和服姿の水辺の女性という主題は、明治期の洋画壇における一つの典型となった。展覧会の広報で「教科書に載っている絵」と称してPRされるほど、おそらく日本近代洋画で最も有名な「美人画」。

*17 山本芳翠（1850~1906）は、フランスで学び、伝統的な油彩画の技法を日本に伝えた明治期の洋画家。亀に乗る浦島太郎と彼を取り巻く海の世界の住人たちを、西洋画の写実的な技法で描いた《浦島》（1893~95年、岐阜県美術館蔵）は、代表作の一つ。

*18 青木繁（1882~1911）は、東京美術学校西洋画科選科で黒田清輝に学び、白馬会で活躍した洋画家。神話を主題とした大胆な構成の作品で注目を集め、明治期の浪漫主義的傾向を体現したが、画壇での評価を確立できず放浪の末に夭折。

*19 甲斐荘楠音（1894~1978）は、京都の日本画家。独特の湿気を帯びた退廃的な雰囲気の人物像を得意とし、大正期を中心に国画創作協会などで活躍した。後年は、溝口健二の映画で時代風俗考証を担当し、『雨月物語』ではアカデミー賞の衣装デザイン賞にノミネートされた。

*20 島成園（1892~1970）は、近代大阪画壇を代表する女性画家。美人画の作家として活躍したが、大正時代には禍々しい光を放つ年増の花魁像や、情念の滲み出るような半裸の女性像など、野心的な作品を発表した。自画像に実際にはないアザを描き入れた《無題》（1918年、大阪市立美術館蔵）は、美人画を見る視線に対する抵抗とみなすこともできる。

*21 *Masculin / Masculin. L'homme nu dans l'art de 1800 à nos jours.* 2013年9月24日から2014年1月2日までパリのオルセー美術館で開催され、1800年から現在に至るまでの男性ヌードを扱った絵画、彫刻、写真などを展示した。先行する展覧会として、ウィーンのレオポルト美術館で2012年10月19日から2013年1月28日まで行われた「男性ヌード」展（*Nackte Männer*）もある。

*22 2020年11月25日から2021年2月23日まで開催されたMOMATコレクション内の小企画。荻原守衛《文覚》をはじめ、20世紀初頭から1940年代にかけての日本の男性彫刻を「強い男」「賢い男」「弱い男」の3つのコーナーに分けて紹介した。

*23 木曽義仲（1154~84）　源義賢の子。義賢は源頼朝の父義朝の異母弟。幼少時、父が甥の義平に討たれ、信濃国木曽谷で中原兼遠に養育される。以仁王の令旨により挙兵し、倶利伽羅峠の戦いなどに勝利し平氏を都落ちさせ、いち早く入京するが後白河法皇の不興を買い、同族の源頼朝と敵対。義経らの鎌倉軍に敗れた。

*24 今井兼平（1152~84）　平安時代末期の武将。父は中原兼遠。木曽義仲の乳兄弟で、義仲四天王と呼ばれた家臣の一人。兄に樋口兼光、妹に巴御前がいる。義仲の挙兵に従い、数々の戦功をあげたが、義仲が源頼朝と敵対。敗走するなか、逃れた先の粟津で義仲が討たれると、その後自害した。

*25 日本でタイBLドラマのファン層が一気に拡大するきっかけとなったのは、偽装恋愛から本当の恋に発展する二人の男子大学生を描いた「2gether」（GMMTV）である。2020年2月から5月まで全13話が放映され、その人気から続編や映画も制作されている。新型コロナウイルス感染拡大による外出自粛期間に、SNSで話題を集めた。

*26 「おちょやん」は、2020年11月30日から21年5月15日まで放映された、NHK朝の連続テレビ小説。大阪、道頓堀を舞台に、芝居茶屋に奉公に出された少女、竹井千代（杉崎花）が喜劇女優になり、数々の困難を乗り越え生きる姿を描いた。千代の結婚相手、天海一平を演じたのが成田凌。

男性を見ることを語る

石田美紀

本展に会する男性たちの出自は実にさまざまです。歴史の英雄もいれば、物語のヒーローもいます。また彼らを演じて観客を沸かせた役者たちが見得を切るかたわらで、信仰におけるスーパースターたちも負けじとポーズを決めています。もちろん、名を持たない男性たちの佇まいも独自のものがあります。

色とりどりの個性を誇示する彼らですが、その多くには共通する点がひとつあります。それは、彼らの居場所がフレームに枠取られた平面であることです。この共通条件のもとで、男性たちの個性はよりいっそう際立ちます。というのも、ひとしく平面におかれることで、彼らを生み出した社会的・文化的背景、あるいは作り手が選んだ手法、さらには私たちが彼らに惹かれる理由が明確になるからです。

この小論では、平面世界の男性たちが住まうふたつの媒体、つまり写真と絵画に着目したいと思います。写真と絵画。そのどちらもが身体を平面に留める方法であり、またそのどちらにおいても身体は自由に表現されています。ただそのいっぽうで、フレームの外から彼らに視線を注ぐ私たちとの関係は大きく異なります。私たちは写真と絵画の双方が表現する男性身体をどのように見ているのでしょうか。両者をめぐるコミュニケーションは、それぞれいかなるものなのでしょうか。

撮影された身体——かつてあった他者との対峙

まず、写真の美男たちから始めましょう。森栄喜(もりえいき)の《"Untitled" from the Family Regained series》(2017年)では男たちが沈殿する赤い空間は膨張し、フレームの外にいる私までも飲み込んでしまいそうです。また、ヨーガン・アクセルバルの《Go To Become series》において、男は鋭い一瞥でブレる画面を切り裂いて、見ている私を捕獲します。森とアクセルバルの目指すところは同じではありません。ただ、どちらの作品についても、私は胸のざわつきを覚えてうろたえます。

ロラン・バルトは写真論『明るい部屋』(1980年)において、「それはかつてあった」ことを示すのが写真であると述べています[1]。私が撮影された身体を前にして感じてしまうある種の居心地の悪さは、バルトの指摘と無縁ではないでしょう。というのも、撮影された身体は「かつてあった」存在、すなわち実在の存在として私と対峙しているからです(実は、バルトにとって、撮影された身体が「いまはもうここにいない」ことの方がより重要なのですが、彼と写真との抜き差しならぬ関係についてはまたの機会にお話ししたいと思います）。

そして、私と撮影された身体との対峙は、撮影者の存在によって対決めいたものになります。撮影者が、ある時、ある場所である人物を撮影したために、その人物は写真という平面のうちに留め置かれました。写真を生成させるこの仕組みゆえに、私は撮影者と被写体が共有した場に常に遅れる羽目になり、かつて両者が結んだ関係を追体験することを迫られるのです。「それはかつてあった」がために、撮影された身体と私のコミュニケーションは、他者が経験した時空間の一回性に拠って立つのです。

描かれた身体

いっぽう、絵画に描かれた身体には、モデルが実在の人物であったとしても、「それはかつてあった」という過去に根ざした感覚は希薄です。バルトも、「絵に描かれた肖像は、いかに《真実》に見えようとも、どれ一つとして、その指向対象が現実に存在したという事実を私に強制しえない」[2]と述べています。

バルトに背中を押してもらって明言すると、描かれた身体は、私がそれを見る時空間に、つまりは私にとっての「いま・ここ」に位置しています。いうまでもなく、絵も写真と同じく過去に制作の起点をもつのですが、不思議なことに現在から遠く離れた過去において描かれていても、過去に実在した身体の一回性とともに喚起されることは稀です。なぜ描かれた身体は、実在や過去から逃れているのでしょうか。その理由として、描かれた身体が媒体やジャンルに特有の様式化を経ていることを、無視することはできないでしょう。事実、本展に集う描かれた男性たちは写実から自在に距離をとり、時には性別すら留保して「いま・ここ」で見ている私とのやりとりを開始するのです。

本当に男性?

1970年代に少年たちの物語を描き、少女マンガに革新を起こした竹宮恵子（たけみやけいこ）の少年を見てみましょう。華奢な胴に伸びやかな手足、長いまつげに縁取られた大きな目、小さな顔を飾る髪の流れ…。竹宮は自身が「少年愛」作品と呼ぶ、『風と木の詩』（1976〜84年）を中心とする一連の作品において、少年たちの関係を性愛場面をも含めて描きました。マンガ家としての彼女の意気込みは、その少年像に結実しているのですが、少年たちの姿は、少女マンガが洗練させてきた表現手法を駆使して描かれています。彼らの身体は実在の身体の厚みと重みから解放されています。

少女マンガの身体描写に慣れ親しんだ者にとっては、竹宮が描いた身体が少年であることは、すぐに理解できます。少女マンガの身体表象の体系も、あらゆる記号体系と同じく差異から成立しています。たとえば少年の身体がいくら華奢であるとしても、その肩幅は少女よりも広く骨張っていますし、すべてのキャラクターの目が写実の範疇を超えた大きさで描かれていても、瞳がより丸く、より輝いている方が、そしてまつげの本数が多い方が少女です[3]。ただ、こうした微細な描き分けを察知できない者にとっては、描かれた身体の性別を見分けることは容易ではありません。実際、竹宮の描く少年が少女として見間違えられ、パスしてきたという証言もあります。

1978年、女性読者に向けて、男性同士の性愛物語に特化する雑誌『JUNE』が創刊されました。『JUNE』は竹宮の「少年愛」作品に呼応しながら、男性同士の性愛物語を「耽美」と呼ばれるジャンルとして作り上げ、来たる「ボーイズラブ」の土壌を耕しました。竹宮は創刊から長年にわたり『JUNE』誌の表紙イラストを手がけるのですが、この表紙については、同誌の企画者であり、編集長を務めた佐川俊彦が興味深い証言を残しています。

> *少年たちの絵が女の子と区別がつかないので、『JUNE』も世間では意外とすんなり通っちゃったようです。*（中略）*普通の男性からみれば、髪の毛が長くて、首が細くて、目が大きくて、マツゲが長ければ、女の子の絵だ、と見て思うわけです。みんなそれほど暇じゃないですから（笑）、普通の少女だと勘違いしたわけです。でも女の子にとっては、この絵は少年だったし、少年でなければならなかった。*[4]

佐川の証言から判明するのは、少女マンガの様式で描かれた身体の性別を作り手が想定した通りに受け取るためには、細部を読み取る技量が必要とされていること、そしてそれを身に着けるのは簡単ではないことです。作り手と受け手が様式を共有し、両者のコミュニケーションが円滑におこなわれてはじめて、描かれた身体の性別は確定されるのです。

ふたたび、本展の会場に目を転じてみましょう。作り手と受け手のコミュニケーションは、1970年代の少女マンガに限らないことに気づかされます。

入江明日香の《持国天》《廣目天》（ともに2016年）においても、描かれた身体はその細部に注意を払うことを私たちに求めてきます。タイトルどおり両作品で描かれているのは、護法神である四天王の二神です。東大寺の立像で知られるとおり、彼らは筋骨隆々の成熟した男性の姿を取ることが多い仏法世界の護り手ですが、入江の作品では少年とも少女とも判別がつかない年若い身体が描かれています。くわえて憂いを帯びた表情は、仏法を脅かす外敵と戦う四天王に割り当てられてきた威嚇の表情ではありません[5]。彼らはただ静かに生滅流転を見守っているようです。たしかに、私たちはお馴染みの立像がコミカルにデフォルメされた姿で画面に潜んでいることを発見します。ただそれでも目前の身体とタイトルとの落差を埋められず、視線を走らせ続けることになるでしょう。そして彼らの指が幼い容貌に似つかわしくない無骨なものであると気づいたとき、ようやく描かれた身体の性別についての手がかりを得るのです。こうしたやりとりを重ねたあとで、描かれた身体は私たちに何者であるのかを示すのです。

見ている者に委ねること

浮世絵（多色刷りの可能性を探究する入江のインスピレーションの源泉の一つです）にも、見ている者に描かれた身体とのやりとりを求める例が存在します。その最たるものが、鈴木春信の《寺小姓と上臈》や《誘惑》（1765〜70年頃）でしょう。いずれも男女の場面ではあるのですが、両者の相貌と身体は限りなく同じに見えます。そのため、どちらが男性で、どちらが女性なのかはすぐに判別できません。二人の性別を知るには、持ち物や髪型といった江戸の風俗についての知識に基づいて絵の細部を的確に読み取ることが必要です。

ただ、こうした男性か女性かの判別がつかない身体を前にしたときに、ふと湧き上がるのは、描かれた身体の性別の同定にどれほどの意味があるのだろうか、という疑問です。ごく当たり前のことではあるのですが、絵の身体は描かれたにすぎません。したがって、描かれた身体に何を見出すのかは見る者次第なのです。春信が描く二人を男女と見ても、女同士と見ても、あるいは男同士と見てもよいのです（性器が描かれていない場合は正解も不正解もありません）。

比較文学者の佐伯順子は、歌舞伎の女形が演じる女の美しさが、現実の女の手本になるという逆転を指摘したあとで、春信が描く身体について次のように述べています。

> *春信の描く男女はほとんど区別がつかないといわれるが、それは男が女っぽく描かれているのではなく、女が「女のまねをしている男」に似ているのであり、その意味で春信の美女は基本的に「男」であるといえるだろう。*[6]

アクロバティックな佐伯の見解は、男女の身体をめぐる固定観念が何度も反転した結果として生まれたものです。こうして描かれた身体は私たちを刺激しながら、正解なき解釈ゲームへと私たちを誘うのです。

自由

私たちが描かれた身体に誘われる様を確認したところで、少年にも、少女にも、そして女性にも同じ顔を与えたもうひとりの画家、高畠華宵（たかばたけかしょう）に注目しましょう。華宵は大正から昭和初期にかけて広告や雑誌で活躍し、子どもから大人まで幅広い層に支持されました。彼が人気の絶頂時に描いた少年雑誌『日本少年』（実業之日本社）の表紙には、野球や水泳、はたまた極地での探検といった各種の活動に勤しむ少年たちが登場します。彼らの容貌は、長いまつげで縁取られた切れ長の目と形の良い鼻、そして肉厚の小さな唇が印象的です。私はこの顔を「華宵顔」と呼びます。

華宵がこの魅力的な「華宵顔」を編み出したのは、明治末から始まる津村順天堂の生薬「中将湯」の新聞広告でした。「中将湯」は婦人向けの生薬でしたから、商品の潜在的な購入者である女性たちにアピールするべく、マスコット・キャラクターに選ばれたのは、妙齢の女性でした。興味深いことに、「中将湯」の広告が新しく世に出されるたびに「華宵顔」の女性は服や髪型を変えました。あるときはモガとして、あるときは角隠しをつけた新婦として、またあるときは子育て中の若き母として広告に登場したのです。様々な女性に扮する彼女はまるでファッション・モデルか女優かのように捉えられたのでしょう。いつしか彼女は「中将姫」と呼ばれ、人々に長く愛されました。

その後、華宵は仕事の場を『少年倶楽部』『少女倶楽部』（ともに講談社）や『日本少年』『少女の友』（実業之日本社）をはじめとする少年・少女雑誌に広げ、「抒情画」と呼ばれる新興ジャンルで活躍します。ただそこでも、華宵は自身の出世作である「中将姫」の顔のデザインを少年と少女の顔に採用しました。性別を問わず華宵が同じ顔を繰り返し描き続けたのは、「華宵顔」が画家の偏愛の対象であったことにくわえ、少年・少女雑誌という新しい表現媒体で自らの作家性を打ち立てるためであったと考えられます。

では、読者の少年・少女たちは「華宵顔」をもつ身体をどのように理解していたのでしょうか。ここで注目したいのは、「華宵顔」が人気を博した雑誌がいずれも性別と年齢で読者を絞り込んだ媒体であることです。少年雑誌と少女雑誌という分類は、明治以降に整備されアジア・太平洋戦争の終戦まで続いた男女別学の教育制度と呼応しています。つまりこれらの雑誌は、私的な娯楽媒体でありながら、公教育を補完するものでもあったのです。

事実、少年雑誌と少女雑誌では読者に示されたロールモデルもはっきりと異なっていました。男子は「末は博士か、大臣か、はたまた大将か」と社会的な活躍が期待されるいっぽうで、女子は「良妻賢母」になることだけが求められました[7]。読者には「少年らしさ」「少女らしさ」の重圧がのしかかっていたとも言えるのです。だとしたら、少年と少女の双方に平等に与えられる「華宵顔」は、読者とどのような関係を持ったのでしょうか。

この問題を考えるために、1925年から『日本少年』で連載された人気小説『馬賊(ばぞく)の唄』を例に取りましょう。作は池田芙蓉(いけだふよう)（その後『源氏物語』研究の第一人者となる国文学者・池田亀鑑のペンネームです）ですが、もちろん読者の最大の関心事は人気画家の華宵が描く少年少女でした。主人公の山内日出男(やまうちひでお)少年は、中国大陸で消えた父を探しに、単身中国へと乗りこみます。日出男という名前が示すとおり、彼の冒険譚は当時の日本の拡張主義的野望と不可分ですが、物語は意外な展開を迎えます。

旅の途中、日出男は馬賊と交戦したのち捕縛した馬賊の男の前で、こともあろうか寝てしまうのです。しかし不思議なことにこの馬賊は逃亡を図ることなく、日出男の元に留まります。その理由は驚くべきものです。長くなりますが、引用してみましょう。

> *あまりのことに、あっけにとられた賊は、しばらくぼんやりと少年の顔を見つめていた。*
>
> *何という美しい紅顔の少年であろう。何という大胆不敵な肝玉の持主であろう。さすが豪放の馬賊も舌をまいてしまった。*
>
> *すべての武器は今自分の手の中にある。少年の生命を奪おうと思えば、いつでも奪うことが出来る。生死の権は今完全に自分が握っているのだ。けれども、少年の言葉――信義と勇気とが男児の本領だと云った言葉。そこには何という偉大な崇高さが輝いているであろう。そうだ。自分は彼の従僕になろう。喜んで従僕になろう――*[8]

馬賊が屈服したのは、日出男が示す「信義と勇気」に加えて、彼の「美しさ」にも圧倒されたからです。もちろん、華宵は少年の美しさが物語を展開させるこの場面を描いています。その絵を少し描写してみましょう。馬賊を前にして大の字で横たわる日出男のシャツのボタンは外れ、そこから肌が垣間見えています。まぶたは閉られ、唇は少し開いています[9]。無防備な少女にもみえる日出男の姿は、それまで再三述べられてきた日本の少年らしい豪胆さを裏切りかねません。もっと踏み込んで述べれば、彼の姿は読者の嗜虐をそそるとも言えるほどです。それは「信義と勇気」ではとても言い尽くせない姿であり、当時の日本社会が少年に求めた「らしさ」を転覆させる契機になりうるものです[10]。おそらく、池田は読者が楽しみにしている「華宵顔」をもつ美しいキャラクターの見せ場としてこの場面を用意したのでしょうが、それはどれほど刺激的なことであったのでしょうか。

華宵の全盛期に少年時代を送ったやなせたかしは華宵を「情感と官能を刺激する画家」と評し、「そのペン先から生まれた中性的な妖しさの漂う美少年・美少女は暗い時代の谷間に咲いた花のようにどんなにか心を酔わせたろう」と述べています[11]。やなせの言葉には、当時の少年少女たちが「華宵顔」を支持した理由の一端が示されています。それは描かれた身体が私たちに与えてくれる自由さです。描かれた身体は、現実の身体を縛るくびきからも、それに基づいて社会から課される「らしさ」からも解き放たれています。だから私たちはそこに何を読み取っても、何を読み込んでもよいのです。そして、描かれた身体は鷹揚にそんな私たちを受け止めてくれるのです。

私たちが撮影された身体、そして描かれた身体と取り結ぶ多様なやり取りの一部を述べてきました。この小論を締め括るにあたって、本展が打ち立てる「美男画」という型破りのコンセプトに触れましょう。たしかに私たちは女性身体を見て楽しむことに慣れすぎてきました。この慣習の上に、美人画というジャンルは成り立っています。とはいえ、この事実は私たちが男性像を楽しんでこなかったことを意味しているわけではありません。実は意外なほど多くの男性身体が私たちの視線に供されてきたことを、本展は証明しています。ただ、男性身体を見ることについて語ることがなかったのです。それは、男性が見ることについて盛んに議論されてきたのとは対照的です。

男性身体を見ることについて語ること。それは本展によっていま始められたばかりです。

（いしだ みのり／新潟大学教員）

［註］

1　ロラン・バルト、花輪光訳『明るい部屋　写真についての覚書』みすず書房、2009年、92-95頁。

2　同書、95頁。

3　マンガのキャラクターデザインが記号の差異からなることについては四方田犬彦『漫画原論』（筑摩書房、1994年）を、マンガ表現における男性性/女性性の差異については押山美知子『少女マンガジェンダー表象論　〈男装の少女〉の造形とアイデンティティ』（新増補版　アルファベータブックス、2018年）を参照ください。

4　佐川俊彦インタビュー「文学と娯楽の間を行ったり、来たり」石田美紀『密やかな教育—〈やおい・ボーイズラブ〉前史』洛北出版、2008年、336−337頁。

5　清水眞澄『仏像の顔　形と表情を読む』岩波新書、岩波書店、2013年、122頁。

6　佐伯順子「春信美女の秘密」『芸術新潮　特集：ユニセックスの絵師　鈴木春信』1991年3月号、64頁。

7　少年雑誌と少女雑誌の差異の詳細については今田絵里香『「少年」「少女」の誕生』（ミネルヴァ書房、2019年）を参照ください。

8　池田芙蓉・高畠華宵『馬賊の唄』桃源社、1975年、36頁。

9　同書、39頁。

10　『馬賊の唄』では、ヒロインである貴美子も銃をもって敵と戦うなど、少女らしさから逸脱した活躍ぶりを見せます。彼女の顔も日出男と同じ造形であるため、挿絵に描かれる貴美子を女装した日出男として見ることもできます。貴美子についての詳細は石田美紀「娯楽と教育、そして絵—挿絵画家・高畠華宵の場合」（栗原隆編『感性学　触れ合う心・感じる身体』東北大学出版会、2014年）を参照ください。

11　やなせたかし「艶麗な美人画」『別冊太陽　絵本名画館　高畠華宵　美少年・美少女幻影』平凡社、1985年、5頁。

第1章

伝説の美少年

人間を超えた力を持つ、聖なる存在。あるいは歴史に名高い若者たち。本章で紹介する、伝説にいろどられた美しき少年たちの中には、信仰の対象となる神や仏と、人々の崇拝を集めてきた実在の人物がいます。いずれも民衆の理想を反映して、その時代その時代のとっておきの美男子の姿で表されてきました。少年が持つとみなされる生命力と無垢な精神には、神聖なるもののイメージが結びつけられました。大人になるまでのわずかな時間に現れる、性別を超えた少年の美。それはいずれ失われてしまうからこそ、いっそう価値の高いものとして貴ばれたのです。

そして人々の記憶にとどまり、歴史に名を残す美少年たちは、ただ容貌が麗しいだけでなく、特別なエピソードを伴っています。幼き日の聖徳太子、平氏の貴公子たち、曾我兄弟に天草四郎…彼らは類まれなる知性を備えていたり、ひときわ武勇に秀でていたり、誰にもまねできないような偉業を成し遂げていたり、運命に導かれるように悲劇的な最期を遂げていたりと波乱に満ちた生涯を送りました。写真という客観的な裏付けがなかったからこそ、人々は過去の憧れの人物を理想化して思い描くことができました。時として、実際は特に容姿が優れていたという記録がなくとも、人々の思慕の念が連なるうちに「美男化」されることもありました。こうした点では、美少年の誉高い人物たちのイメージは、かつて実在した人間であっても、半ば伝説上の存在であるといえるでしょう。

また、外国から写実的な表現がもたらされるまで、パターン化された中に個人の特徴を示唆する面貌の描き方が主流であった日本の視覚文化の中では、顔かたち以上に、髪型や身に着ける服・持ち物なども重要な美の要素でした。ファッションの点でも、伝説の美少年はお洒落のお手本です。趣向を凝らした衣装、あるいは簡素であっても品のよい身なりは、見る人の憧れを呼び覚まし、想像力をかき立てたことでしょう。日本の文化に登場するさまざまな美男をめぐる旅、まずは伝説の美少年たちとともに幕を開きます。(GR)

1
谷文晁
稚児文殊像
19世紀（江戸時代後期）
Image: TNM Image Archives

右手に剣を、左手に経巻を持ち獅子に乗った少年は、文殊菩薩として描かれています。「智」をつかさどる文殊は、釈迦の脇侍として普賢菩薩とともに釈迦三尊を形成するなど、古くから信仰を集めてきました。経典にも文殊が「童子形」だという記述があるため、仏像、仏画に少年のような容貌をした文殊を見ることができます。この作品のように稚児（寺院や公家、武家で召し使われた少年）の装いで描かれた図像は、鎌倉時代以降に現れ、江戸時代によく描かれました。少年が持つ清らかさに神聖なものを見出す感性、あるいは愛らしい稚児への憧憬が生んだものでしょうか。

作者の谷文晁（1763〜1840）は狩野派や南画、洋風画など様々な画法を学び、松平定信に仕える傍ら、江戸や上方の文人と交友し、山水や花鳥、人物など多様な作品を残しました。（KY）

月明かりに照らされた秋の野に、横笛を手にした稚児がたおやかに佇んでいます。少し冷たくなってきた秋風に吹かれ、白い袴がふわりとふくらんでいます。ふっくらとした頬に細くしなやかな指。唇の鮮やかな紅にどきりとさせられます。この場面は、14世紀に成立した《稚児観音縁起絵巻》（香雪美術館蔵）に典拠があります。絵巻によれば、奈良の老僧が長谷寺に詣で、弟子を授けてほしいと祈願した帰り道、美しい稚児が笛を吹き鳴らしているのに出会います。喜んだ僧は稚児を連れ帰り、師弟の契りを結んで楽しく暮らしますが、稚児は突然の病で亡くなってしまいます。僧が悲しみに暮れながらも遺言に従って35日後に棺を開けると、たちまち芳香が立ち込め、金色の十一面観音が現れました。稚児は観音菩薩が姿を変えてこの世に顕現したものだったのです。

日本の古典絵画である「大和絵」の復興を掲げた松岡映丘（1881〜1938）は、伝統的な美意識と近代の感性を融合させて、新しい日本の絵画を創出しようとしました。映丘が取り組んだ、平安・鎌倉期の絵巻の研究が存分に活かされた作品です。（SA）

2
松岡映丘
稚児観音
1919（大正8）年

3
狩野養川院惟信
菊慈童図
18世紀後期~19世紀初期（江戸時代中~後期）

潤いに満ちた深山の情景の中に、可憐な少年と菊の花が艶やかに浮かび上がっています。作者の狩野養川院惟信（かのうようせんいんこれのぶ）（1753～1808）は、木挽町（こびきちょう）狩野家の絵師で、10代将軍家治（いえはる）の時代に幕府御用絵師を勤めた人物です。

菊慈童（きくじどう）は中国の伝承に登場する不老不死の美少年です。周の時代、慈童という少年はその美しさから穆王（ぼくおう）に愛されていましたが、王の枕をまたぐという罪を犯し、人里離れた深い山に流されます。穆王から毎朝唱えるように授けられた経典の句を菊の葉に書いたところ、葉に生じた露が霊薬となって谷に滴り落ち、その水を飲んだ慈童は不老不死の仙人となったということです。この伝承は能や歌舞伎の演目にもなっており、また絵画においても桃山時代から現代まで多くの作例があります。水辺の菊花と永遠の美少年という取り合わせが、甘美な幻想を抱かせてくれます。（KY）

4
松元道夫
制多迦童子
1957（昭和32）年

運慶作の仏像などでも知られる制多迦童子は、不動明王の従者である八大童子の一人です。少年の持つ溌剌とした生命力は、しばしば聖なる力と結びつけて受け止められ、神仏の像には子どもの姿を取るものが少なくありません。制多迦童子の赤色の肌は紅蓮の色で、人を超えた存在であることを示しています。童子は不動明王に従わないものに憤怒の心で接するとされ、多くの場合怒りの形相をともなって表されてきました。松元道夫（1896~1990）が描く童子は丸々とした頬に上目遣いのまなこ、ふっくらとした頬の一見するとかわいらしい少年の姿です。しかし口元には不敵でどことなくミステリアスな笑みを浮かべ、金剛棒を手にする様は、さすが仏法の守護者といった趣です。（GR）

5
安田靫彦
風神雷神図
1929（昭和4）年

肩衣に風をはらみ、髪をなびかせて軽やかに天を駆けていく風神（右隻）。煩悩を打ち破る法具である独鈷杵（とっこしょ）を手に、黒雲と雷光をしたがえ目と口を大きく開けて下天を見据える雷神（左隻）。両者は静と動の対比を示します。風と雷を神格化した風神雷神は、千手観音の従者として古くから図像化されてきました。伝統的な風神雷神は、俵屋宗達（たわらやそうたつ）の屏風で知られるように、鬼のような異形の姿で表されることが多かったのですが、安田靫彦（やすだゆきひこ）（1884～1978）はすっきりとした均一な鉄線描（てっせんびょう）と無駄を省いた描写で、清々しい少年の姿に描き上げました。古典的な画題を独自に解釈し直す、作者の真骨頂がみられます。（GR）

6
蕗谷虹児
天草四郎（『名殘の繪姿』口絵原画）
1926（大正15）年

7
蕗谷虹児
久松（『名殘の繪姿』口絵原画）
1926（大正15）年

8
蕗谷虹児
菊のたより（『令女界』口絵原画）
1947（昭和22）年

蕗谷虹児（1898～1979）は大正、昭和期の少女雑誌を中心に、抒情的な挿絵やスタイリッシュな表紙絵で人気を得た画家です。シャープな線描と華やかな色彩が持ち味で、竹久夢二や高畠華宵よりもクールな作風です。

《天草四郎》（cat.no.6）と《久松》（cat.no.7）は、未刊の画集『名殘の繪姿』のために描かれたと推定されているものです。少女のような端正で穏やかな面持ちに描かれた天草四郎には、「天草の乱」の指導者としての悲壮感はなく、異国情緒をたたえたロマンティックな美少年像となっています。一方、久松は歌舞伎や人形浄瑠璃で人気の「お染久松」ものの登場人物。奉公先の商家の娘、お染と恋仲になり、悩んだ末に心中を決意する丁稚・久松の苦悶の表情が、なまめかしく描かれています。いずれも大正時代に流行した江戸懐古趣味や異国趣味、そして物憂い雰囲気を反映した作品です。

《菊のたより》（cat.no.8）は、《本多平八郎絵姿》（徳川美術館蔵）や《彦根屏風》（彦根城博物館蔵）など近世初期風俗画に着想を得たと思われる男女の図です。美少年と謳われた本多平八郎（忠勝）をイメージしたものと想像されますが、原画の退廃的なムードはなく、少女雑誌にふさわしい華やか、かつ爽やかな作風となっています。（KY）

9
安田靫彦
鞍馬寺参籠の牛若
1974（昭和49）年

10
松本楓湖
牛若
1874（明治7）年
Image: TNM Image Archives

平安時代末期の武将・源義経は、史実云々よりも伝説的なエピソードで語られることの多い人物です。特に「牛若丸」と呼ばれた幼少期は史料が乏しく、様々な創作に彩られてきました。童子水干姿の美少年というイメージで描かれるのが定番です。松本楓湖（1840~1923）《牛若》（cat.no.10）は、京都の五条大橋で、千本目の刀を奪おうと襲いかかる武蔵坊弁慶をかわし、返り討ちにして家来にした、という伝説を主題にしたものです。弁慶と対峙する牛若丸の姿と、眼下の橋の欄干が月明かりに浮かぶという幻想的で美しい作品です。安田靫彦《鞍馬寺参籠の牛若》（cat.no.9）は、平治の乱で父・源義朝が敗死した後、京都の鞍馬寺に預けられていた時の牛若丸を描いたものです。毘沙門天像の前に端座する姿は、寺を抜け出した後の、波乱の未来を見据えているようにも見えます。靫彦は義経をテーマにした作品を数多く描いており、同作は90歳の時の作品で、院展最後の出品作となりました。（SN）

11
菊池契月
敦盛
1927（昭和2）年

12
今村紫紅
笛
1900（明治33）年頃

平敦盛は、平安時代末期に栄華を極めた平清盛の甥で、その短い生涯から「悲劇の美少年」として、広く美術や文学、芸能などの題材に取り上げられてきた人物です。清盛の死後、平氏一門は源氏の圧倒的な兵力に抗えずに都落ちし、16歳の敦盛も初陣となった一ノ谷の戦いで、源氏方の熊谷次郎直実に討たれます。『平家物語』には、敦盛の無垢な美貌や、武士としての誇り高い最期が、戦の不条理を嘆く直実の言葉とともに語られ、涙を誘う名場面となっています。合戦図などでは、鮮やかな鎧姿の騎馬像で描写されることが多い敦盛ですが、近代の日本画には、戦場を離れて束の間寛ぐ姿や、笛を嗜む様子などが描かれます。戦場でも身につけていたという笛は、祖父が鳥羽院から下賜された「小枝」（別名「青葉」）という名器で、笛の名手であった敦盛のアイコンのような存在です。今村紫紅（1880～1916）《笛》（cat.no.12）では、小脇に笛を抱え、草むらをゆく敦盛が描かれていますが、菊池契月（1879～1955）《敦盛》（cat.no.11）では、笛ではなく経典らしき巻物を手にしています。契月は、極力色味を抑えて身体を白線画で描写し、凛とした敦盛の立ち姿を描いています。いずれもどこか実在感に欠ける、平家の貴公子の儚い美しさを表現しています。（SN）

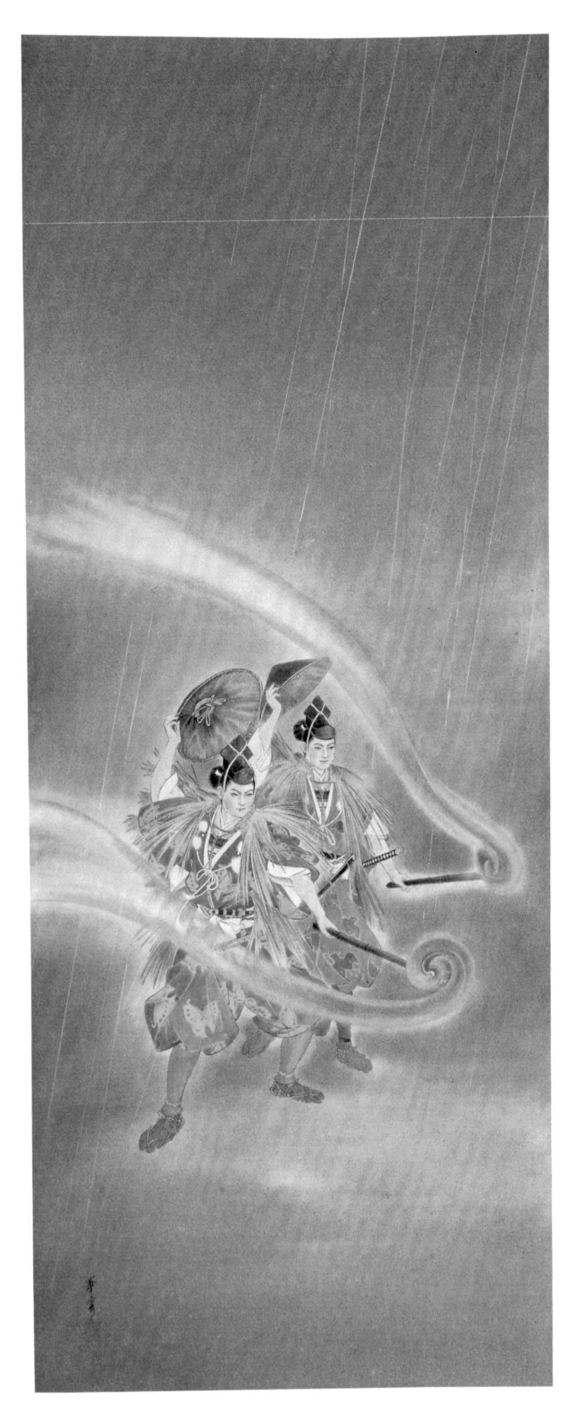

13
高畠華宵
夜討曽我
1937（昭和12）年

きりりとした美しい面立ちの青年たちは、向かって右が22歳の曾我十郎祐成、左が2歳年少の五郎時致の兄弟です。緊迫した夜の空気のなかで、松明の光がふたりの白い頬を照らし出します。兄弟は長年の苦節の末、源頼朝の家臣で親の仇たる工藤祐経を討ち取りました。ここに描かれているのは、今まさに夜襲が始まらんとするドラマチックな一場面。忠臣蔵とならび称される曾我兄弟の仇討ちは、歌舞伎や浄瑠璃の題材として人気を博しました。

二人は本懐を遂げたのち、ほどなく若い命を散らす運命にあります。兄弟の身を包む蝶と千鳥の華やかな模様の直垂は、彼らの晴れ舞台の死装束でもあるのです。時代風俗にも通じていた高畠華宵（1888～1966）。中性的で気品あふれる青少年像を数多く描いた作者の、繊細な美意識が発揮されています。（GR）

名古屋山三郎
片岡我童

14
豊原国周
名古屋山三郎 片岡我童
19世紀（江戸時代末~明治時代初期）

歴史を彩る伝説の美男は、さまざまなエピソードに満ちています。三大美男子の一人・名古屋山三郎は、織田信長の遠縁にあたる17世紀初頭に実在した武士で、女子と見まごうような美少年であったといわれます。麗しい外見とは裏腹に血気はやる豪気な性格で、同じ主に仕える朋輩とのいさかいによって若き命を散らすこととなります。

風流を好み遊芸にもすぐれていた山三郎―真偽は定かではありませんが―歌舞伎の創始者といわれる出雲阿国とともに、初期の歌舞伎をともに創り上げたとも伝えられています。武勇に秀でかつおしゃれな伊達男・山三郎は歌舞伎や浄瑠璃で取り上げられ、浮世絵の画題としても好まれました。その容貌には、それぞれの作者の理想の美男イメージが反映されています。（GR）

16
歌川国芳
名古屋山三郎
1848（嘉永元）年

15
歌川国芳
名古屋山三郎
1848（嘉永元）年

17
歌川豊国（三代）
名古屋山三郎
1848（嘉永元）年

18
豊原国周
不破伴作 片岡我童
1885（明治18）年

不破伴作は、名古屋山三郎、浅香荘次郎と並び、戦国時代の「天下三美少年」に数えられます。関白豊臣秀次の小姓として仕えた人物です。秀次は、豊臣秀吉の甥で養嗣子となり、豊臣家の後継者として関白職を引き継ぎますが、罪を疑われて秀吉から切腹を命じられ、伴作も主君の死出の供をして18歳で殉死します。歴史上の足跡は少ないのですが、歌舞伎狂言にはたびたび登場し、その役を演じた役者絵が数多く描かれています。

豊原国周（1835～1900）の《不破伴作 市村家橘》（cat.no.19）と《不破伴作 市村羽左衛門》（cat.no.21）は「鶴千歳曽我門松」（初演時の外題。通称「野晒悟助」）の一場面です。河竹黙阿弥が、八代目市村家橘（十三代目市村羽左衛門、後の五代目尾上菊五郎）のために書き下ろした演目で、1865（慶應元）年の正月、江戸の市村座で初上演となり、人気を博しました。他にも「浮世柄比翼稲妻」（通称「鞘当」）という演目では、名古屋山三郎と恋を競う、強面の荒くれ者として描かれるなど、歌舞伎における不破伴作は、典型的な色男の代名詞としてだけでなく、独自にアレンジされて進化していったようです。（SN）

不破伴作
片岡我童
豊原国周筆
彫工タツ

20
歌川豊国（三代）
時代世話当姿見　不破伴作
1858（安政5）年

19
豊原国周
不破伴作 市村家橘
1865（慶応元）年

国周画
井筒屋
彫栄

21
豊原国周
不破伴作　市村羽左衛門
1865（慶応元）年

Column 1

業平と源氏 ～時を超える美男キャラ～

川西由里（島根県立石見美術館 専門学芸員）

日本美術史上、最も長きにわたり、また数多く描かれてきた「美男」といえば、おそらく在原業平（ありわらのなりひら）と光源氏（ひかるげんじ）が双璧でしょう。

在原業平は平安時代前期の歌人として名高く、「六歌仙」や「三十六歌仙」の一人として扁額などに描かれました（図1）。「百人一首かるた」のイメージとしてもおなじみの、頭上に和歌が記され、畳に坐ったスタイルです。業平は『伊勢物語』の主人公ともみなされ、高貴な血統、優れた容姿、そして「芥川（あくたがわ）」や「東下り（あづまくだり）」といった悲しくも美しいエピソードとともに、優美でロマンティックな情景が絵巻をはじめ様々な形で描かれてきました。

一方の光源氏は、ご存知のとおり平安時代中期に紫式部（むらさきしきぶ）が『源氏物語』の主人公として生み出した架空の人物です。やはり高貴な生まれと美しい容姿を持ち合わせ、和歌をはじめ諸芸に秀でているという設定で、多くの女性たちとの恋のエピソードが語られます。その物語も、数え切れないほどの絵画作品を生みました。

さて、絵画における「美しい人」のかたちは、時代によって変化します。絵巻が生まれ隆盛した平安時代には「引目鈎鼻（ひきめかぎばな）」とよばれる、色白で下ぶくれの輪郭線に線のような目、「く」の字の鼻、そして小さな口が配された顔が、やんごとない美男美女を描く際のパターンでした（パタリロ殿下（cat.no.51-3）の造形はこの末裔といえるでしょうか……）。このように顔立ちが画一化されてしまうと、表情によって感情を分かりやすく示すこともできませんし、人物どうしの区別もつきにくくなります。例えば現存最古の絵巻《源氏物語絵巻「鈴虫（二）」》（図2）では、どの人物が光源氏なのか、一見しただけでは分かりません。現代の感覚からすると不思議に思えるかもしれませんが、「引目鈎鼻」は、記号化されているがゆえ見る人が感情移入しやすいという説もあります。《源氏物語絵巻》は詞書（ことばがき）（物語の本文）を伴った絵巻ですので、当時の人々は文字を読んだり、音読されるのを聴いたりしながら絵の世界に没入し、クールな貴公子たちの姿を堪能したことでしょう。絵巻の鑑賞というとかしこまってしまうかもしれませんが、映像はもちろん出版物もない時代に、手元で美しい絵を楽しむことができた貴重なビジュアル媒体だった、と考えてみてはいかがでしょうか。

さて、近世になると『伊勢物語』や『源氏物語』は教養として流布し、絵巻以外の形式や、文字情報を伴わない絵も制作されるようになります。江戸時代後期に鈴木其一（すずききいつ）が描いた在原業平（図3）には文字情報がありませんが、馬に乗った公達（きんだち）が富士山を眺めるというシチュエーションが、『伊勢物語』「東下り」の一場面であることを示しています。こちらは雛人形のような愛らしい顔だちと、華やかな装飾（なんと表具も手描き！）により、業平が持つ雅やかな雰囲気を盛り上げています。

さらに進化して、ゲーム的な要素を持つのが「見立て」という手法です。浮世絵師、鈴木春信（すずきはるのぶ）による《見立源氏夕顔（みたてげんじゆうがお）》（図4）は、『源氏物語』「夕顔」で光源氏が夕顔に初めて会った時のエピソードを、同時代の服装をした、春信様式の美少女、美少年に仮託して現したものです。少女が持つ扇に結び文が載せられていることと、若衆の着物の柄が、源氏香（げんじこう）[1]の「夕顔」であることが、物語を読み解くヒントになっています。当時の春信ファンたちは、お気に入りの絵師の絵で再現されたロマンティックな場面に心ときめかせたことでしょう。

時代を超えた長命キャラクターである源氏と業平は、

「美男」であり恋多き男であるという設定がもはや説明不要のため、衣裳や背景、持ち物など一定のモチーフを描いておくだけで誰が何をしている場面かを表現できてしまう、「美男」描きには絶好の主題です。そのため、能や歌舞伎、翻案小説の主題としてもくり返し取り上げられ、千年もの間、生き続けているのです。

源氏や業平以外にも、本展で紹介する牛若丸（うしわかまる）や天草四郎（あまくさしろう）のようにバックグラウンドが共有されたキャラクターたちは、浮世絵や近代絵画、そして現代のマンガ、アニメ、ゲームなどにも描かれてきました。物語や歴史上の人物に独自の解釈を加えて魅力的なキャラクターを生み出す行為はますます盛んになり、昨今では元ネタからかなり飛躍した表現も登場していますが（cat.no.94）、妄想は創造の原動力、これからも時を越えて生きる「美男キャラ」たちを楽しもうではありませんか。

［註］

1　五本の縦線に横線を組み合わせた図。元は香道に使われたものが、源氏物語の各帖を表す風雅な文様として、着物や工芸品の装飾に用いられるようになった。

図3｜鈴木其一《業平東下り図》
19世紀（江戸時代後期）
遠山記念館蔵

図1｜『青蓮院宮尊純親王・狩野探幽《三十六歌仙 在原業平朝臣》
1648（慶安元）年　金刀比羅宮蔵

図2｜国宝《源氏物語絵巻「鈴虫（二）」》
12世紀（平安時代後期）　五島美術館蔵
撮影：名鏡勝朗

図4｜鈴木春信《見立源氏夕顔》
18世紀（江戸時代中期）　東京国立博物館蔵
出展：ColBase（https://colbase.nich.go.jp/）

第2章

愛しい男

日本の文化史をたどると、公家や中世寺院の僧侶に仕えた稚児、武将たちに付き従った小姓など、成人男性の近くで身の回りの世話をする少年たちの存在がみられます。男性ばかりの環境の中で、美しく装った少年たちは時に性的な対象となりました。年長の男性が若年の男性（若衆）を愛でる衆道の文化は庶民の間にも浸透し、若衆の姿は近世の絵画でさかんに描かれています。江戸時代、市中では男色を斡旋する場として陰間茶屋というものがあり、歌舞伎役者の卵という体裁の男娼の少年たち（陰間）が色を売りました。

時代は下り西洋からもたらされた写実的な表現を学んだ近代の美術家たちは、モデルとなった男性の生身の肉体を描出しました。中でもエネルギーに満ちた青少年のみずみずしい身体は、近代国家として富国強兵を進める当時の日本にとって、賛美すべきものとみなされました。こうした健康的な美が愛でられる一方で、退廃的な男性美の系譜も存在しました。大正デカダンスの世界では、陰のあるややグロテスクな男性像が生まれています。その後、富国強兵から軍国主義へといたる風潮にそぐう英雄的な男性表現が中心となり、愛しい男の系譜は表立った出現の場を失いました。

第二次大戦後、先鋭的な文化が活性化した昭和40年代には、従来の美術とは異なったバックグラウンドを持つ表現が登場します。幻想や異形の美、官能性やナルシシズムを備えた四谷シモンや金子國義らの青少年像は、衝撃をもって受け止められました。時に残酷で官能的な美しい男性イメージは、現代の魔夜峰央や山本タカトらの耽美な世界観へとつながっています。（GR）

22
絵師不詳
舞踊図屏風
1624～44年頃（寛永期）

お囃子を取り巻き、にぎやかに踊る老若男女の群れ。よく見るとお揃いの衣装を着た人々もいます。室町時代後期から江戸時代初期にかけ、趣向を凝らした衣装をまとい、小唄に合わせて集団で踊る「風流踊」が流行しました。この絵もそうした場面を描いたものでしょうか。屋敷の中では、この家の主人とおぼしき武士が悠然と踊りを眺めています。御簾の中に十二単姿の女性も見えますが、武士の周りには座敷の上だけでも六人の若衆（前髪のある少年）が侍り、縁側には坊主頭の男の相手をする二人の若衆がいます。さらに塀の上にも一人、熱狂を静かに見下ろすように若衆が顔をのぞかせています。一方、塀の外では様々な年齢の男たちが入り乱れて大乱闘をくり広げています。けんかの中心にいるのは、「かぶき者」と呼ばれた人々です。かぶき者は江戸時代初期、華美な服装や奇抜な行動を好んだ男たちで、時に徒党を組んで街で暴れることもありました。可憐な美少年である若衆は長く絵の題材として描かれましたが、猛々しいかぶき者たちは幕府による社会の統制が進むにつれ姿を消し、絵に描かれることもなくなってゆきました。（KY）

23
菱川派
花下遊楽図屏風
1701（元禄14）年頃

幔幕を巡らせた中、琴と三味線に合わせてお揃いの着物の若衆が三人踊っています。その姿を愛でながら酒を飲む、赤い頭巾の男がこの豪華な宴の主人でしょうか。周りでは老若男女が双六をしたり、酔いつぶれたり、せっせと料理をしたり、いちゃいちゃしたり、幕の外をのぞき見したり……皆それぞれに花見の場を楽しんでいます。別の幕の中では、やはり若衆を伴った男がくつろいでいます。元禄のお大尽の遊びっぷりと、そこで活躍（?）した若衆たちの様子がよくわかる絵です。（KY）

24
絵師不詳
花下遊楽図絵巻
18世紀（江戸時代中期）

27
懐月堂派
双六遊図
1716〜36年頃（享保期）
Image: TNM Image Archives

振袖を着た若衆が二人、双六（すごろく）に興じ、刀を傍に置いた男がそれを見守っています。客がひいきの若衆を呼んで遊んだ場、芝居茶屋（若衆茶屋）の光景でしょうか。若衆たちが頭に着けているのは「野郎帽子（やろうぼうし）（紫帽子とも）」とよばれる、前髪の剃り落としを隠すための布です。その背景には、少年たちが踊る「若衆歌舞伎」が禁止され、舞台に上がる男性は前髪を剃った「野郎（=成人男性）」の姿でなくてはならなくなったという事情があります（p.107参照）。それでもなお、前髪がないことを覆い隠し、振袖を着た少年たちが愛でられていたのは、男とも女とも異なる「若衆」というあやうい存在に魅力を感じる人が多かったことのあかしでしょう。（KY）

26
宮川一笑
色子（大名と若衆）
18世紀（江戸時代中期）

歌舞伎の舞台に上がった若衆の中には、舞台の外で性を売る者もいました。「色子」はそうした少年を指す呼び名です。寝そべる若衆は甘えるように男に手を伸ばし、二人はほのぼのと視線を交わしています。たばこを吸いながらくつろぐ二人の背後に立て回された屏風の絵は、この若衆が編笠をかぶって大名が待つ茶屋までやってきたことを示しているのでしょうか。(KY)

25
宮川長春
若衆図
18世紀（江戸時代中期）
Image: TNM Image Archives

宮川長春（みやがわちょうしゅん）（1682~1752）は、版画ではない一点ものの肉筆浮世絵で、艶やかかつ品のある美人画を多く描いた絵師です。宮川一笑（みやがわいっしょう）（1689~1779）（cat.no.26）は、長春の弟子です。美人画を得意とする絵師の図も若衆の図も多く手がけていたことから、どちらも同じように鑑賞されていたと推測されます。（KY）

28
勝川春潮
喫煙若衆図
18世紀（江戸時代中期）

29
山本藤信
男女之図
1770年代頃（明和末〜安永初期）
Image: TNM Image Archives

《喫煙若衆図》（cat.no.28）は、杜若と柳の新緑が美しい水辺で待ち合わせの、兄分と弟分といった風情。二人とも前髪のある若衆ですが、煙草を吸っている方は衿元をはだけたいなせな兄さん、後からやってきた少年は顔が白く、扇を持つ手つきもしなやか、袖の長い羽織を着るなど女性に寄せて描かれているので、弟分でしょう。

ところで、ここまでの解説を読むと、若衆＝男色の対象という印象をもたれたかもしれませんが、若衆を愛したのは男性だけではありません。《男女之図》（cat.no.29）は一見すると少女が二人並んでいるように見えますが、座っている方は若衆です。袖を口元でつまんで若衆をうっとりと見下ろしているのは富裕な商家の娘でしょうか。若衆は、女性の目から見ても「男」とは違う、可愛いと思える存在だったようです。
（KY）

30
鈴木春信
寺小姓と上臈
1765～70（明和2～7）年頃

32
鈴木春信
風流艶色真似ゑもん　まねへもん十四
1770（明和7）年

31
鈴木春信
松の内
1765～70（明和2～7）年頃

33
鈴木春信
誘惑
1765～70（明和2～7）年頃

鈴木春信（1725～70）は、錦絵創生の最大の功労者であり、明和期を代表する美人画家でもあります。春信の描く色男や美少年は、彼が得意とした、華奢で可憐な女性たちとともに登場します。《寺小姓と上臈》（cat.no.30）は、身分の高い女性が寺小姓と逢瀬をしている場面です。御簾の影で密かに身を寄せ合い接吻する様子から、この逢瀬が秘め事であるのがわかります。《風流艶色真似ゑもん まねへもん十四》（cat.no.32）は、春信の艶本『風流艶色真似ゑもん』（二十四枚揃）の一図です。浮世之介という好色な男が、色道の奥義を悟ろうと、笠森稲荷を擬した笠森山で仙女に団子をもらって小さくなり、「真似ゑもん」と称して様々な場所に色道の修行に出掛けるという筋書きです。本作は吉原の座敷内での遊女と客の床入りの様子で、遊女が「サ、帯とかんせ」と言い、男は「いやも此事の、だいぶん酔た」とかわす場面。これを見ながら真似ゑもんは「イヤすこぶるもたせぶりの。アノ心のうちはさぞさぞ」とつぶやいています。《松の内》（cat.no.31）も同じく吉原で床入りする男女の図ですが、座敷内の様子が詳細に描かれています。床の間の松竹梅の拵えの島台と、布団の上の「まつの内」と書かれた浄瑠璃本から、正月の風景であることがわかります。春信の巧みな構成力が想像力をかきたてます。（SN）

34
喜多川歌麿
小松びき
1801~04年頃（享和期）

35
喜多川歌麿
忠臣蔵 五段目
1790年代頃（寛政後期）

36
喜多川歌麿
お染久松
1801～04年頃（享和期）

37
喜多川歌麿
四ツ手網船遊
1790年代頃（寛政後期）

喜多川歌麿（1753?～1806）は、役者や遊女、市井の評判娘などを半身像や胸像で描く「美人大首絵」で知られ、艶のあるふくよかな女性美の表現を確立しましたが、美人画の題材のひとつとして、男女の相愛図も描きました。多くの場合、男性は女性の相手役や連れとして描かれていますが、彼らもまた女性にひけをとらず、華のある風貌で描かれています。《小松びき》（cat.no.34）は、美人が若い男性に大胆に迫る様子を描いています。女性はもう片時も離れられないと掻き口説いていますが、男性のほうはやや腰が引き気味に見えます。《四ツ手網船遊》（cat.no.37）は、夜の隅田川に浮かぶ屋根舟での男女の遊興の様子と、右下に舟の舳先と網だけが見える四ツ手網漁の様子を描いています。本来は三枚続で右側にもう一枚、漁をする舟と漁師、それを興味深げに見る女性達が描かれている図があるのですが、本展出品作はそれを欠いています。竹で張った方形の網で水底の魚を引きあげる漁法に見入る女性らと、漁よりその女性達に目を遣る男性達。それぞれの思惑が交差しています。（SN）

哥麿筆

38
歌川国芳
源氏雲浮世画合　花散里
1846（弘化3）年頃

39
歌川国芳
源氏雲拾遺　八橋
1846（弘化3）年頃

《源氏雲浮世画合》は源氏物語五十四帖と、日本の説話や浮世話とを結びつけて描かれた全五十四枚の揃物。上部の巻物を広げたデザインの上に『源氏物語』の巻名と和歌を描き、下部に芝居に登場する人物を描いています。《源氏雲浮世画合　花散里》（cat.no.38）は、歌舞伎や浄瑠璃の題材となった苅萱道心を描いたもの。筑前国刈萱の領主・加藤重氏が花見の宴の席で、桜がつぼみのまま盃に落ちるのを見て世の無常を感じ、出家を決意する場面です。子を宿した妻が夫の出家を引き留めますが、重氏は苅萱道心と名乗り高野山で出家。後に我が子石童丸と再会するというお話です。《源氏雲拾遺》も同様の形式をとるもので、《源氏雲拾遺　八橋》（cat.no.39）は歌舞伎『幡随長兵衛精進俎板』に登場する侠客、寺西閑心を描いたものです。別の演目で閑心の名は、不破伴作の別名としても登場します。『伊勢物語』「東下り」の一場面、咲く燕子花と「八橋」の由来となった橋が背景に描かれ、それを渡る髑髏模様の着物を着た閑心の、堂々とした漢ぶりが目を引きます。（SN）

41
三宅凰白
楽屋風呂から
1915（大正4）年

40
吉川観方
入相告ぐる頃
1918（大正7）年

吉川観方（1894〜1979）と三宅凰白（1893〜1957）はともに京都市立絵画専門学校（現・京都市立芸術大学）で学び、舞踊や芝居といった風俗の世界に目を向けました。17世紀頃の遊楽図を彷彿とさせる《入相告ぐる頃》（cat.no.40）では、夕暮れ時に花見帰りの若い男女がそぞろ歩きをしています。右隻には若衆が三人。頬と指先をほんのりと赤く染めた右端の少年は一番年若いのでしょう、前を歩く兄貴分たちの話は耳に入らず、桜の花びらに気を取られています。卒業制作として描かれ、買い上げとなった作品ですが、観方はすぐに画業から遠ざかり、風俗資料の収集と研究に力を注いでいくことになります。一方、同じく卒業制作の《楽屋風呂から》（cat.no.41）で描かれているのは、公演を終えた歌舞伎役者たちの楽屋でのひとこま。かつらを外し、メイクを落としたところのようですが、二人の間にはなにやら色っぽい雰囲気が漂います。凰白は京都で画家として活動を続け、晩年まで後進の指導にあたりました。（SA）

43
村山槐多
二人の少年（二少年図）
1914（大正3）年

村山槐多（1896〜1919）は、明治・大正時代に活躍した洋画家です。22歳の若さで夭折しますが、ボードレールやランボーに影響を受けた退廃的な美を愛し、迸る情熱や焦燥感を絵にしたほか、小説や詩歌にも独特の世界観を築きました。槐多の書いた怪奇耽美小説に感銘を受けた江戸川乱歩は本作を手に入れ、生涯書斎に飾っていたと言われます。本作は1914（大正3）年、槐多が18歳のときの作品です。当時、従兄の山本鼎の口利きで、田端の小杉未醒の家に寄宿していました。向かって右の少年は未醒の兄の子、小杉正城。左の少年は、未醒の妻ハルの弟、相良敏三で、本作は当時小杉邸にいた二人を描いたものです*。槐多は中学時代、一級下の美少年への片恋に敗れた経験もあり、いつかは過ぎ去る少年時代と、美しいものへの憧れを噛みしめ、一枚の絵に繋ぎ止めようとしたのかもしれません。（SN）

*佐々木央「小杉氏寄寓の少年たち—村山槐多の水彩《二人の少年》をめぐって」『絵』1998年7月号

42
高畠華宵
うららか
1933（昭和8）年

44-9
高畠華宵
『日本少年』21巻10号（大正15年10月）表紙
1926（大正15）年

『日本少年』は、実業之日本社より1906年1月から38年10月まで刊行された、月刊の少年雑誌です。誌面は冒険小説、詩、読者投稿などの読み物や挿絵で構成されていました。読者に絶大な人気を誇った挿絵画家・高畠華宵（1888~1966）は、1924年に起こった画稿料をめぐるトラブル（いわゆる「華宵事件」）をきっかけに講談社での執筆をやめ、同社の『少年倶楽部』から『日本少年』に活動の場を移しました。このことで、『日本少年』の売り上げは一挙に増えたといいます。1925~33年の間に華宵が手掛けた『日本少年』の表紙絵は60点が確認されており、その半数以上が野球や水泳といったスポーツに励む少年たちを描いたものでした*。未知の土地を探検して猛獣を手なずける少年や、武者や軍人の装いで華々しくポーズを決める少年もまた、読者の憧れをかきたてたことでしょう。スポーツで心身を鍛え、危険にも勇敢に立ち向かう少年たちには、近代国家に貢献する男子の理想像が投影されていました。（SA）

*梶田雄一朗「大正から昭和初期の間においての理想の少年イメージの形成ー高畠華宵の手による『日本少年』の表紙絵からー」『京都精華大学紀要』第37号、2010年

44-10
22巻6号（昭和2年6月）

44-7
22巻10号（昭和2年10月）

44-12
21巻6号(大正15年6月)

44-11
21巻7号(大正15年7月)

44-1
22巻3号（昭和2年3月）

44-2
22巻1号(昭和2年1月)

44-13
22巻5号（昭和2年5月）

44-8
22巻11号(昭和2年11月)

44-4
26巻8号（昭和6年8月）

44-6
22巻8号（昭和2年8月）

44-15
27巻9号（昭和7年9月）

44-5
26巻2号（昭和6年2月）

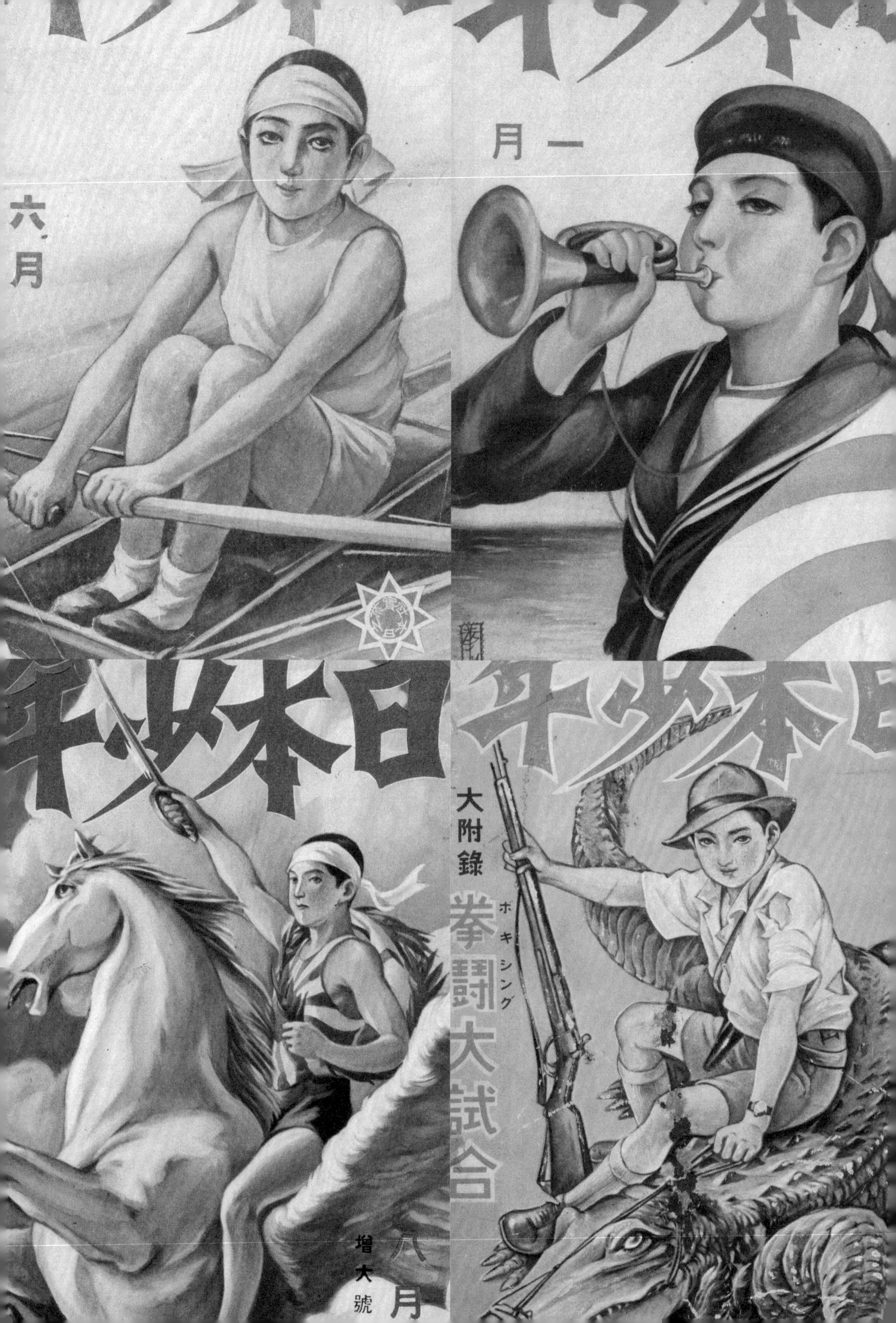
六月
一月
日本少年
八月
増大號
日本少年
大附録
ホキシング
拳闘大試合

十一月

46
金子國義
殉教
1995（平成7）年

ミッションスクールで中学高校時代を過ごし、聖書のテーマにも通じていた金子國義（1936～2015）は、しばしばキリスト教の主題を描いています。真っ直ぐに正面を見つめる、彫りの深い端正な顔立ちの《メッセージ》（cat.no.47）の青年。彼が手に持つザクロの実は、キリスト教の中で復活や神の祝福、教会、殉教者の血などの意味を持ちます。また、背後にみられる魚は洗礼やキリストを暗示します。ネクタイを締めた現代人の姿で描かれていますが、男性は救世主の存在を体現しているのでしょう。

《殉教》（cat.no.46）の画中に舞う天使のような少年たちは、殉教者の青年を救い出そうとしています（あるいは傷つけているようにも）。生命と共に若く美しい身体を失っていく青年は、既に現世の肉体とは別れを告げ、はるか彼方の天を見つめる精神的な存在となっています。徹底した審美眼を備え、芸能や舞台芸術の世界にも造詣の深かった金子。彼が描いた麗しい人物像には、バレエダンサーや銀幕のスターたちの磨き上げられたまばゆい身体が重なります。（GR）

47
金子國義
メッセージ
1983（昭和58）年

48
山本タカト
夕化粧
1997（平成9）年

50
山本タカト
Nosferatu・罠
2018（平成30）年

49
山本タカト
天草四郎時貞、島原之乱合戦之図
2004（平成16）年

山本タカト（1960〜）は緻密な線描と艶やかな色彩により、死の影や背徳の香りを帯びた少年、少女を描く画家です。花柄の装飾が周囲にほどこされた《夕化粧》（cat.no.48）は、少年の肉体が放つエロスを不穏な気配に満ちた室内に閉じ込め、こっそりとのぞき見しているような感覚を味わわせてくれます。一方、吸血鬼をテーマとしたシリーズの一作《Nosferatu・罠》（cat.no.50）では、吸血鬼の少年が射るような視線でこちらを見ています。巨大な満月に煌々と照らされ、絵を見る私たちまでもが秘密の儀式の共犯者としてとらえられたような戦慄を覚えます。いずれも少年二人の危うい関係が崩壊する直前の、美とグロテスクが拮抗する緊張状態を切り取ったような、スリリングな魅力があります。
《天草四郎時貞、島原之乱合戦之図》（cat.no.49）は、劇団☆新感線のミュージカル「SHIROH」の広報ビジュアルで、二人の四郎／シローを描いたもの。戦場の凄惨な光景の中に神の力を宿す美少年の神々しさが浮かび上がる、生（聖）と死、美と醜が対比的に描かれたドラマチックな作品です。（KY）

51-1
魔夜峰央
「パタリロ危うし!」予告カット
(1979年『花とゆめ』13号/花とゆめCOMICS『パタリロ!』第1巻カバー)
1979(昭和54)年

魔夜峰央(まやみねお)(1953〜)は、妖しさをたたえた華麗な美少年・美青年キャラクターと、テンポよく繰り出されるギャグの絶妙な組み合わせで、独自の世界を創り出した漫画家です。代表作『パタリロ!』は1978年に『花とゆめ』(白泉社)で連載が始まり、現在も続く人気シリーズ。マリネラ国王の少年パタリロ・ド・マリネール8世、「美少年キラー」とよばれるＭＩ６(エムアイシックス)の凄腕諜報員(ちょうほういん)バンコラン、その恋人の美少年マライヒが繰り広げる、アクションあり、笑いあり、涙ありの短編連作で、その主題はミステリ、SF、怪奇もの、恋愛もの……と多岐にわたります。人物の造形に加え、漆黒のバックや細密な装飾、薔薇や星の輝きなどが演出する耽美な世界も持ち味です。1982年にテレビアニメ化され、老若男女がお茶の間で「少年愛」を目撃することとなりました。(KY)

51-2
魔夜峰央
「メモワール」トビラ
（1983年『花とゆめ』2号）
1983（昭和58）年

51-3
魔夜峰央
「プリンス・マライヒ」
（1980年『花とゆめ』9号）
1980（昭和55）年

52
魔夜峰央
「翔んで埼玉」PART Ⅱトビラ
1983（昭和58）年

「翔んで埼玉」は『花とゆめ』（白泉社）1982年冬の別冊、83年春・夏の別冊に発表された「埼玉ディス漫画」で、2019年に実写映画化されて話題になりました。東京都民から蔑視される埼玉県民の解放を目指す美少年・麻実麗と、彼を慕う美少年・白鵬堂百美の戦いの物語……まさに「翔んだ」設定と、美少年どうしの恋愛という水と油のような要素が並び立つのは、魔夜作品ならではといえましょう。（KY）

Column 2

麗しのモダンボーイはいずこ? ～描かれなかった美男～

川西由里（島根県立石見美術館 専門学芸員）

美術における「美男」の表現について考える際、合わせ鏡として参照できるのが「美人画」とよばれる女性像です。本展の開催動機のひとつに、「男性を描いた作品がないわけではないのに、それらが『美』という観点でセレクトされ、一堂に会す機会がほぼなかった[1]のはなぜか?」という疑問がありました。これを考える手がかりとして、ここでは「美男として描かれなかった画題」をひとつ挙げ、女性像と比べながら検討したいと思います。

私はかつて「モダンガールズあらわる。昭和初期の美人画展」[2]という展覧会を企画したことがあります。モダンガール（略して「モガ」）とは、1920年代後半から30年代に流行のファッションに身を包み、都会生活を謳歌した先端的な女性たちの呼称です。この展覧会では、当時の社会状況を反映した女性像を日本画、洋画、広告などの分野から約100点紹介しました。

さて、モダンガールが闊歩（かっぽ）した街には、モダンボーイ（略して「モボ」）とよばれた男性陣も存在しました。「美男におわす」展をやるからには、ぜひ素敵なモボたちにご登場願おう!と思ったのですが、いざ探してみると見つからない……いえ、全くいないわけではないのです。小説の挿絵や雑誌の広告にはモボの姿はあります。しかし、「美人画」として描かれたモガ像が多数あった一方で、絵画として（彫刻でもいいのですが）麗しいモボを表現した作品はなかなか見つかりません[3]。

ここでポイントとなるのは、「麗しい」と「モボ」が両立するかどうかです。例えば、洋装で音楽やダンスやスポーツに興じる男性は、1930年代の洋画に時々現れます。しかし彼らの顔立ちは曖昧模糊としていて、「モボとはいえても美男とはいえない、少なくとも画家はそう描こうとしていない」と判断せざるをえません。画家の興味は男の顔や装いではなく、身体の動きやボリューム感の描写、新しい風俗、あるいは新しい表現方法などに向いていたようです。

一方、この時期の日本画には、顔立ちも品よく整った、理想化された男性像はたくさんあります。しかし本展出品作のように、歴史上の人物（cat.nos.88～92など）や江戸時代の風俗（cat.nos.40,41）など、「歴史」というフィルターがかかったものばかりです。江戸時代の人々が「いまどきの美少年」として若衆の絵を楽しんだようには、モボを描こう、鑑賞しようという動きはなかったようです。もっとも、メディアの性質の違いは考慮すべきなので、江戸時代の浮世絵にあたるのは昭和の雑誌だと考えれば、土俵の違う日本画にモボがいなくても不思議はないという考え方もできましょう。しかしモガの方は、雑誌と絵画の両方に、時代のアイコンとして登場していたのです。

ここで、1920、30年代の男性向け雑誌をめぐる研究を参照して、男性のルックスがどう捉えられていたかをのぞいてみましょう。雑誌『日本及日本人』の秋季臨時増刊（1920年9月）は、ずばり「男性美」号。ここに寄稿された76名の文章を分析した荻野美穂氏によれば、容姿よりも精神性や行動に「男性美」を見出す言説が多く、また青年たちが美容や装いに関心を寄せることを「女性化」として批判する文章もあったとのこと[4]。「モダン」という言葉が流布する少し前のことですが、おしゃれに熱中する青年は、大人たちから歓迎されていなかったようです。

では、流行によって消費が喚起された「モダン」時代の男性誌はどんな様子だったのでしょうか。探偵小説の紹介などで知られる雑誌『新青年』は、1927年から「モダン」路線をとり、小説の挿絵に加え、ファッション情報や風刺漫画などにモボのビジュアルを掲載しました[5]。しかし雑誌の顔である表紙においては、探偵小説をイメージした西洋人男性や、デザイン化された記号的なモボのイラストは現れるものの、「麗しい（日本人の）モボ」はいません。さらに1929~40年の表紙は魅惑的なモガの姿に席巻され、たまに出てくる男性といえば西洋人の探偵でした。雑誌の中には女性目線で男性のファッションを語る記事はあるものの、男女を魅了するようなモボが堂々と表紙を飾ることはありません。読者や作り手のモボたちは、西洋人への憧れや、モガへの好奇の眼差しを隠さない一方、自分たちが「美」という物差しで品定めされることは避けたかったようです。あるいは、雑誌の表紙で微笑むのは女と相場が決まっていて、そこに日本男児をあてはめるなど考えもつかなかったのかもしれません。

ところで同時期の少年雑誌『日本少年』の表紙には高畠華宵による美少年たちが起用されていますが(cat.no.44)、いずれもモダンライフを享受するお坊ちゃんではなく、スポーツで体を鍛え、小さな兵士として活躍する清く正しい模範少年です[6]。ちなみに『新青年』においても1940年以降の表紙には時局を反映し、労働する青年や兵士たちという模範青年が描かれます。読者と同時代の日本の青年像がようやく表れたのですが、この時にはもうモボの姿は、紙面の中からも消えていました。

モボとモガはしばしば「モダン」時代の象徴としてペアで語られますが、絵の世界での扱いは対とはいえないものでした。ここに表れた差異は、日本近代の男女像について考えるための手がかりのひとつとなるのではないでしょうか。

［註］

1 出版物やweb企画ではなく展覧会として「美男」をうたったものでは「江戸の美男子－若衆・二枚目・伊達男」太田記念美術館、2013年、が先達として挙げられます。

2 「モダンガールズあらわる。昭和初期の美人画展」島根県立石見美術館、2008年

3 展覧会図録「モボ・モガ」神奈川県立近代美術館、1998年、に掲載された男性像は、自画像、労働者、戯画、写真が中心で、客観的、理想的に描かれたファッショナブルなモボは、広告以外に見当たりません。

4 荻野美穂「一九二〇年の「男性美」－「日本及び日本人」の誌面から」『〈性〉の分割線 近・現代のジェンダーと身体』青弓社、2009年

5 『新青年』とモダンボーイについては、大日方純生「〈総論〉つくられた「男」の軌跡」『男性史2 モダニズムから総力戦へ』日本経済評論社、2006年、および『新青年』研究会編『『新青年』読本全一巻－昭和グラフィティ』作品社、1988年、を参照。

6 一方、少女雑誌には表紙を含めファッショナブルなモガが多数登場します。子供の頃から、消費活動やおしゃれによって人々を喜ばせる役と、心身を鍛錬し国を守る役とが分けられていたことに気がつきます。

第3章

魅せる男

この章で取り上げるのは、その才能や心意気で「魅せる」男たちです。現代でも俳優やアイドルといった「推し」は心をときめかせてくれるものですが、江戸時代の人々を魅了したのはなんといっても歌舞伎役者たちでした。

1629（寛永6）年に女歌舞伎の禁令が出されると、前髪を落とさず薄化粧した美少年たちが踊る若衆歌舞伎が盛んになりました。しかしこれも風紀を乱すとして禁じられ、前髪を剃り落とした成年男性が物語性のある芝居を演じる野郎歌舞伎へと移っていきます。

1661~73年頃（寛文期）には、男色（なんしょく）の対象としての役者を単独で描いた、一種の「美人画」といえる作品が登場しています。やがて役者の技芸への関心の高まりとともに男色の要素が切り離され、舞台から役者のみを独立させた役者絵が制作されるようになりました。初期の役者絵は肉筆によるものですが、需要の広がりに伴って版画が主流になっていきます。

錦絵に多く描かれた幕末期のスーパースターといえば、面長の美貌で知られた八代目市川團十郎（いちかわだんじゅうろう）です。彼が助六を演じた際には、舞台上で浸かった桶の水が「美顔水」として飛ぶように売れたといいます。人気絶頂の中、1854（嘉永7）年に32歳で亡くなると、その死を惜しむ膨大な量の死絵（しにえ）が刊行されました。

「弱きを助け強きをくじく」をモットーとする侠客（きょうかく）たちも、庶民の味方として支持を集めました。侠客は男伊達ともいい、かぶき者を源流とするアウトロー的存在です。代表的な侠客として、17世紀前半の江戸で活躍した幡随院長兵衛（ばんずいいんちょうべえ）を挙げておきましょう。当時、武家奉公人が徒党を組んで無頼をはたらく旗本奴（はたもとやっこ）が問題となり、町人階級の町奴と対立していました。町奴の親分であった長兵衛は、旗本奴との抗争の中で呼び出され、罠と承知のうえで出向いて殺されてしまいます。この潔い死に際が称賛され、長兵衛は歌舞伎の題材にもなりました。

歌舞伎役者が侠客を演じることで、両者は重なり合いながら、多彩な「美男」イメージの源泉となってきました。その粋な姿に、あなたも魅せられてみませんか。（SA）

53
絵師不詳
若衆歌舞伎図
1661~73年頃（寛文期）

舞台上では、お揃いの衣装をまとった若衆たちが整然と並ぶ「総踊り」が繰り広げられています。美少年が歌い踊るステージパフォーマンスの人気は、今も昔も変わりません。客席には男性、女性、子どもの姿も見え、若衆歌舞伎が幅広い層に楽しまれていたことが分かります。

1629（寛永6）年に女歌舞伎が禁止されると、少年が舞台に上がる若衆歌舞伎が盛んになりました。しかし若衆歌舞伎もやがて風紀を乱すとして禁止され、前髪を落とした成人男性のみが演じる野郎歌舞伎へと移り、美少年の舞踊がメインだった舞台から、物語性のある芝居へと変わっていきました。(KY)

54
絵師不詳
大小の舞図
1630〜60年頃（寛永後期〜万治期）

歌舞伎の舞台や遊里の華やぎを描いた風俗画が盛んに描かれるうち、遊女や若衆の姿だけを抜き出した背景のない人物画が生まれました。特定の人物をモデルとしたものもありましたが、肖像画としての性格を持たない、理想の美女や美少年を鑑賞するための絵がたくさん描かれるようになり、それが「美人画」とよばれるジャンルの誕生につながります。美人画=女性像と思われがちですが、若衆の図も「美人画」といって差しつかえないでしょう。

大小の舞（大小狂言、業平（なりひら）舞とも）は、若衆が踊った演目です。金の烏帽子（えぼし）をつけ、刀を帯びた扮装が特徴で、端正な顔だちと豪華な衣装が、私たちの目を楽しませてくれます。美人画と同じく若衆の図も、あでやかな衣装が見どころひとつ。絵師が腕をふるった緻密な紋様にもぜひ注目してください。（KY）

56
絵師不詳
男舞図
1661~73年頃（寛文期）
Image: TNM Image Archives

55
絵師不詳
大小の舞図
17世紀（江戸時代初期）

58
菱川師胤
中村竹三郎図
1716（享保元）年頃

《中村竹三郎図》（cat.no.58）は、女形の名手として知られた初代中村竹三郎の絵姿。野郎帽子をつけた島田髷を結い、頭上に編笠をかざしています。芝居に出る「舞台子」は、芝居茶屋への移動の際、編笠をかぶる制度がありましたが、女髷では笠が被れないため、こうして手に持って歩いたとのこと。《色子（大名と若衆）》（cat.no.26）の背景の屏風にもその様子が描かれています。
《瀬川菊之丞図》（cat.no.57）は一見すると女性像のようですが、足元の編笠から若衆であることが分かり、羽織に「結綿」の紋があることから、女形の名跡、瀬川菊之丞であると推定されます。（KY）

57
井上東籬
瀬川菊之丞図
18世紀（江戸時代中期）
Image: TNM Image Archives

59
東洲斎写楽
市川男女蔵の奴一平
1794（寛政6）年

1794（寛政6）年5月に江戸の歌舞伎劇場・河原崎座で上演された演目『恋女房染分手綱』に取材した作品で、歌舞伎役者の市川男女蔵が演じた「奴一平」を描いた役者絵です。丹波国の由留木家の家臣・伊達与作に仕える奴一平が、主君から大金を預かり、それを狙って襲いかかってきた盗賊の奴江戸平衛を睨み付け、盗られまいと、まさに刀を抜こうとする瞬間を描いています。雲母の粉を黒い背景に摺り上げた「雲母摺」の技法を用いており、髪を振り乱し、忠義心を貫こうとする奴一平の表情が生き生きと描かれています。東洲斎写楽（生没年不詳）が、1794年5月に蔦屋重三郎から版行した、役者似顔の大首絵二十八枚のうちのひとつです。（SN）

男

65
歌川国貞
曽我五郎ときむね　市川團十郎
1812（文化9）年頃

60
歌川豊国（三代）
揚巻の助六（八代目）市川団十郎 三升
1860（万延元）年

助六と言えば、芝居の世界では、江戸っ子を代表するイケメンです。黒羽二重に紅裏の着付け、頭に江戸紫の鉢巻きをし、手には蛇の目傘をもつという独特のスタイルが定番で、七代目市川團十郎が代々市川家の当たり役に選んだ「歌舞伎十八番」のひとつ『助六由縁江戸桜』に登場する主人公です。花川戸助六（本当は曾我五郎時致）は喧嘩に強く、吉原一の花魁、揚巻を恋人にもつ侠客。父の仇を討つために喧嘩を売ることで相手に抜刀させ、失われた家宝の刀・友切丸を探していますが、揚巻を手中にしようと企む老金満家、髭の意休の持つ刀がそれとわかり、意休を斬って刀を奪い返すというお話です。曾我兄弟の仇討ちのエピソードを下敷きにしていますが、代々の市川團十郎演じる助六の男ぶりが賞賛され、「喧嘩に強く、女にもてて、快闊な江戸っ子」の象徴として広く江戸の人々に愛され、数多くの浮世絵に描かれました。（SN）

61
歌川豊国
助六　市川団十郎
1811（文化8）年

62
歌川豊国（二代）
助六　市川団十郎
18世紀末~19世紀初期（江戸時代後期）

63
歌川豊国（三代）
花川戸の助六
1850（嘉永3）年

64
歌川豊国
あけ巻の助六　市川八百蔵
1802（享和2）年頃

66
鳥居清忠
夏祭
大正時代

鮮やかな刺青（いれずみ）に真紅の下帯。腰に赤の格子柄の着物を巻き付け、手に刀を持つ男が見栄を切っています。演じている役者が誰かは不明ですが、歌舞伎狂言の演目『夏祭浪花鑑（なつまつりなにわかがみ）』（通称「夏祭」）の一場面を描いた作品です。大阪の夏祭りの最中、義侠心の強い魚屋・団七九郎兵衛（だんしちくろべえ）が欲深な舅（しゅうと）、三河屋義平次（みかわやぎへいじ）を惨殺するという内容で、実話を基にした上方狂言です。作者の鳥居清忠（とりいきよただ）（1900~76）は、江戸時代中期から代々役者絵を専門とし、歌舞伎の看板絵などを描く鳥居派宗家の八代目（鳥居家五代目）を継ぎ、清忠のほか「言人（ことんど）」「清言（きよのぶ）」などと号しました。はじめ父の七代目清忠（鳥居家四代目）から鳥居派の画風を学び、小堀鞆音（こぼりともと）に就いて大和絵や有識故実を研究、その後鏑木清方（かぶらききよかた）の門下に入り美人画を描きました。本作のような新版画の作例に優品が多く、特に「言人」署名の美人版画で知られています。同時期に活躍した伊藤深水（いとうしんすい）、川瀬巴水（かわせはすい）らとともに人気を博しました。（SN）

夏祭

68
山村耕花
梨園の華 初世中村鴈治郎の茜半七
1920（大正9）年

やや目を伏せた切れ長の色男。正面からではなく、斜め横からの凛とした佇まいを描き、唇や耳たぶのほんのりとした赤みが、品のある色気を醸し出しています。『艶姿女舞衣』の茜半七を演じているのは、大正期の上方歌舞伎を代表する役者、初代中村鴈治郎です。華やかで柔和な物腰の芸風で知られ、色気のある目遣いで評判をとりました。本作は山村耕花（1885～1942）が「梨園の華」シリーズとして発表した全十二点の新版画による役者絵です。新版画とは、明治時代の中頃から徐々に衰退した浮世絵版画の復興と近代化を目指して、明治30年代から昭和にかけて、絵師・彫師・摺師の分業で制作した版画のことです。一人の画家が自画・自刻・自摺の全行程を行う、同時期の創作版画運動とは対極にあり、浮世絵の伝統手法が失われていく危機感から、新しい浮世絵版画の創作を試みました。《梨園の華 十一世片岡仁左衛門の大星由良之助》（cat. no.67）は、中村鴈治郎のライバルでもあった、十一代目片岡仁左衛門を描いたものです。たびたび芝居で周囲と衝突したという頑固な性格が、本作からも窺い知れます。（SN）

豊成画

69
山村耕花
梨園の華 七世松本幸四郎の助六
1920(大正9)年

67
山村耕花
梨園の華 十一世片岡仁左衛門の大星由良之助
1916（大正5）年

70
鳥居清長
出語り図 三代目瀬川菊之丞と四代目岩井半四郎
1788（天明8）年

「出語り」とは、歌舞伎の舞台で、浄瑠璃の太夫と三味線奏者が出てきて演奏することで、本作のように、後ろに居並ぶ出語りと前の役者とを、舞台の描写とともに描いたものを「出語り図」といいます。鳥居清長（1752～1815）が舞台の臨場感を表すために用いた方法で、役者絵の新しいスタイルとして確立しました。ここでは江戸歌舞伎を代表する女形として、当時高い人気を博した二大スター、三代目瀬川菊之丞と四代目岩井半四郎が描かれています。本作の前年、1787（天明7）年、清長は鳥居派宗家の四代目当主を襲名します。鳥居派の家業である歌舞伎の看板絵や番付絵を描きつつ、その革新的な画風は、後に続く数多くの浮世絵師たちに大きな影響を与えました。（SN）

71-1
歌川豊国（三代）
当世好男子伝　林中に比す　鮫鞘四郎三
1859（安政6）年

「好男子伝」を「すいこでん」と読ませるセンスがなんとも洒落ています。鮮やかな着物を纏い、思い思いのポーズで刺青を誇示する侠客たちは、中国の伝奇小説『水滸伝』に登場する豪傑に見立てられています。アウトローが活躍する『水滸伝』は、幕末期に大ブームを巻き起こし、日本を舞台にしたパロディ小説や錦絵などが次々に刊行されていました。9匹の青龍の刺青から九紋龍と呼ばれた支進（史進）に見立てられたのは、二人の娘に慕われる色男、のざらし語助（野晒悟助）(cat.no.71-6)。艶やかな刺青は、江戸の若者たちの間で流行した最先端のファッションでもありました。腕の喜三郎には素手で虎を殺したという行者武松にちなんだ虎の刺青が施され（cat.no.71-5）、水練の達人であった張淳（張順）に見立てられた夢の市郎兵衛の着物には龍が踊ります（cat.no.71-3）。

歌川豊国（三代）(1786~1865) は初代豊国の門人で、はじめ国貞と号し、1844（弘化元）年に豊国を襲名しました。人気絵師として数多くの作品を残しましたが、流行をふんだんに取り入れ、大衆に求められるキャッチーなイメージを生み出す手腕はさすがの一言です。(SA)

71-2
歌川豊国（三代）
当世好男子伝　公孫勝に比す　幡随意長兵衛
1859（安政6）年

71-3
歌川豊国（三代）
当世好男子伝　張淳に比す　夢の市郎兵衛
1859（安政6）年

71-4
歌川豊国（三代）
当世好男子伝　花和尚魯智深に比す　朝比奈藤兵衛
1858（安政5）年

71-5
歌川豊国（三代）
当世好男子伝　行者武松に比す　腕の喜三郎
1858（安政5）年

71-6
歌川豊国（三代）
当世好男子伝　九紋龍支進に比す　のざらし語助
1858（安政5）年

72-5
歌川豊国（三代）
鹿の子寛兵衛
1853（嘉永6）年

72-4
歌川豊国（三代）
幻竹右衛門
1853（嘉永6）年

侠客に扮した人気役者たちが川べりで夕涼みをする様子を描いた五枚組の作品です。歌川豊国（三代）は役者の顔の特徴をよくとらえ、浴衣と団扇には侠客の名前にちなんだ柄と文字を配しています。八代目市川團十郎扮する本町綱五郎は綱（cat.no.72-2）、初代坂東竹三郎扮する幻竹右衛門は竹（cat.no.72-4）、そして三代目嵐璃寛扮する鹿の子寛兵衛の浴衣には、鹿の子柄をあしらった「鹿」の文字（cat.no.72-5）。すっきりとした浴衣の配色や、背景のグラデーションが涼しげです。

三代目岩井粂三郎扮する放駒の蝶吉（長吉）は、「双蝶々曲輪日記」に登場する力士です（cat.no.72-3）。パトロンの若旦那の恋路を助けようとする人気力士・濡髪長五郎と喧嘩の末、義兄弟の契りを結びます。初代坂東しうか扮する金神蝶五郎（長五郎）も同じく力士で、金剛神の姿をした妖怪に相撲で勝ったというエピソードをもちます（cat.no.72-1）。ちらりと見える赤い下帯が色気を感じさせます。（SA）

72-3
歌川豊国（三代）
放駒の蝶吉
1853（嘉永6）年

72-2
歌川豊国（三代）
本町綱五郎
1853（嘉永6）年

72-1
歌川豊国（三代）
金神蝶五郎
1853（嘉永6）年

73-5
歌川豊国
諸商人五枚続 杜若地紙
1813（文化10）年頃

73-4
歌川豊国
諸商人五枚続 三朝植木
1813（文化10）年頃

歌舞伎には街中で商品を売り歩く物売りたちがしばしば登場します。《諸商人五枚続》は、五人の人気役者を物売りに見立てた組物です。「秀桂」や「曙山」などとあるのは、それぞれの役者の俳名です。ファンの間では、役者を屋号や俳名で呼ぶことが通とされていました。柄杓を手に水を売るのは七代目市川團十郎（cat.no.73-1）。ねじり鉢巻きには、團十郎家を表す「三升」の紋がみえます。扇に貼る地紙を売る五代目岩井半四郎の着物にあしらわれているのは、定紋の「丸に三ツ扇」と替紋の「杜若丁字」（cat.no.73-5）。虫売りの二代目沢村田之助と団扇売りの三代目坂東三津五郎の着物の柄は、それぞれ替紋の「波に千鳥」と「花勝見」です（cat.nos.73-2, 73-3）。また、植木売りとして描かれている二代目尾上松助は、大の盆栽好きとして知られたそうです（cat.no.73-4）。

歌川豊国（1769～1825）は、歌川派の祖・歌川豊春に学び、「役者舞台之姿絵」シリーズが出世作となります。美人画、読本、合巻など多分野で活躍したほか、多くの弟子を育て、歌川派を幕末浮世絵界の最大流派に押し上げました。（SA）

73-3
歌川豊国
諸商人五枚続 秀桂団扇
1813（文化10）年頃

73-2
歌川豊国
諸商人五枚続 曙山虫うり
1813（文化10）年頃

73-1
歌川豊国
諸商人五枚続 三升水
1813（文化10）年頃

Column 3

死せずして美男ならず

左近充直美（島根県立石見美術館 専門学芸員）

今回、美男が描かれている作品の解説を書いていて、気になったことがあります。「幸せな人生を送りました」という人があまりに少ない…。具体的に言えば、幸せな老後を迎えたり、天寿を全うしたという人が少ないのです。もちろん例外はあります。絵の対象となるものには、実在のモデルがない場合も多く、侠客や稚児、若衆など、ある一定の時代と風俗を象徴する人々を描写する時は、個々の素性までは明確でない場合がほとんどです。しかし、史料の裏付けの有無はともかく、歴史上実在した人物に的を絞って、その人生を概観した時、美男、あるいは伝説上美男と見なされ、絵姿になっている人々の多くが、もれなく悲運な生涯であったり、悲劇的な最期を迎えたりしているのです。例えば「判官(ほうがん)びいき」で知られる源義経(みなもとのよしつね)はその典型と言えるでしょう。今回の出展作品からあげてみると、平敦盛(たいらのあつもり)や天草四郎(あまくさしろう)、不破伴作(ふわばんさく)や名古屋山三郎(なごやさんざぶろう)、森蘭丸(もりらんまる)などもそうです。「美男」の枠組みで言えば、歴史上他にもっとたくさんの名前があがるでしょうし、彼ら全てが不幸になったり、非業の死を遂げているというわけではありません。しかし、歌舞伎などのお芝居や小説に繰り返し取り上げられ、美術作品の主題に描かれるような人物となると対象は限られ、そのほとんどが哀しい宿命を背負っています。集団で言えば、曾我兄弟(そがきょうだい)や赤穂浪士(あこうろうし)などもその類に入るでしょう。そもそも目的が仇討ちで、最初からその先の運命が予測できるなか、悲運も何もという感じですが、個別に見たら、容貌がどうのという事はよくわからない彼らも、その忠義心の篤さや、時の権力に反抗するという行動が江戸の大衆の心を掴み、その願望によって美男に仕立て上げられたと言えます。「美談」がすなわち精神的「美男」を生んだ結果と言えるでしょう。しかし、記録に美貌であると書かれている場合も、そうでない場合もいわゆる「美男枠」が適用されるとなると、実は発想が逆かもしれません。美男に描かれている人が悲運なのではなく、悲運だからこそ美男に描かれるという法則がある、ということでしょうか。

もうひとつ、日本人の昔ながらもつ美学のひとつに「潔い死」というものへの憧れや賞賛があり、過去の史料や数々の古典や物語を振り返ってみると、何かに対して命をかけて行動を起こし、最期は潔く散る、という生き方を「美しい」と見做す向きがあることに度々気付かされます。例えば「本懐を果たして死ぬ」という発想や「主君の盾となって死ぬ。主君にもしもの事があれば殉死する」という主従の関係性の理想像。それは封建社会であった時代のもたらした発想と副産物で、民主主義下の現代社会を生きる私たちには、到底理解しがたいものもあります。しかし、人は一般的に死に対して怖れを抱きますが、同時に惹かれる気持ちも持ち合わせています。例えば月岡芳年(つきおかよしとし)や伊藤彦造(いとうひこぞう)の絵に象徴されるような、死を前にした極限状態に放たれる壮絶な色香。傷ついた肉体や血のイメージがもたらす視覚的な快楽。それらは妖しい美しさを秘めて、時代を超えて人々を魅了します。殊に対象が少年である場合、その束の間の、どこか幼さを残す普遍的な美しさには、約束ごとのように死の影がつきまといます。鑑賞者は、それを哀れと思いつつ、物語の華として愛でるのです。美男の活躍する物語が支持されてきた背景には、そうした人々の心性が少なからず関係していますが、これら「死ぬ」ことを美化する、あるいは「潔さ」を美とする概念は、第二次世界大戦下では、多分に歪みを含む解釈でもって、戦争礼賛や鼓舞の気運に利用されたという背景があり、同じように美しい絵姿として描かれていても、美男画には女性の美人画に求められたものとは違う「役割」が課せられました。それも美男画が辿ってきた道筋の一側面であると言えます。しかし、その絵が生まれた背景にある価値観が、現代人の自分には理解しがたいからといって、その作意を否定したり、過去のものとして単純に切り捨ててしまうのではなく、なぜ悲劇を美しいものと捉えるのか、実情とはかけ離れたところで美化されるものは、どういう過程を経てそうなるのか。そうした疑問を抱くことは、日本人にとっての美しさとは一体何なのかを深く考察するきっかけになるのではないかと思います。また美化の過程にはかなりの時間を要します。その人物の生々しい記憶が薄れ始めたころに創作化（フィクション）が始まり、お芝居などでその役を演じる役者の影響も入り混じって、文字や絵に描かれたイメージなども付加しどんどん膨らんでいったのでしょう。そうしていくうち「こうあればいいな（それなら不幸ばかりじゃないな）」と願う形がいつしか「美男」という形に定着していったのかもしれません。それは豊かな想像力の成せる技でもあります。これからも時代に合わせて、既成枠に収まらない様々な美男が誕生するかもしれません。

第4章

戦う男

画題として昔から好まれてきたものに、「戦う男」を描いた図があります。男性美のイメージに付随する「強さ」が、最もわかりやすく表現できるテーマであり、動きのある画面構成や多彩な色使い、アクションシーンなど、絵的に見せ場が作りやすいところも支持された理由のひとつでしょう。江戸時代の人々は、古典や過去の事件に登場する英雄豪傑の活躍を歌舞伎などのお芝居で楽しみ、その役を演じた役者の絵姿や、戦いの名場面を描いた芝居絵を眺めることで、浮世の愁いを一時忘れ、非日常的な娯楽の余韻を味わいました。次第に徳川の世が揺らぎはじめ、大きな変革期を迎える幕末には、歌川国芳（うたがわくによし）や月岡芳年（つきおかよしとし）といった個性派の浮世絵師たちが登場し、大胆な発想と斬新な画風で理想のヒーロー像を打ち出します。これは世の中の不安感と相まって爆発的な人気を博しました。

明治時代に入ると、時代考証に則った背景を裏付けとした歴史画が隆盛します。戦いのシーンそのものよりも、戦いに従事する人々の心情や性格などに焦点をあて、身近な理想像として描きました。続く大正時代には、少年少女を対象とした雑誌に高畠華宵（たかばたけかしょう）や山口将吉郎（やまぐちしょうきちろう）、伊藤彦造（いとうひこぞう）らが耽美な武者像を描き、彼らの強い共感や憧れを喚起しました。「戦う男」が描かれる背景には、外見の美しさだけでなく、描く人物の生き方に強い精神性を感じとらせる傾向が強いため、歴史を扱った画題は戦時下の一時、国民の戦争への意識を高揚させる手段のひとつに転じました。しかし、現代では、時代を描くという観点が改めて見直され、過去に起こった出来事に共感や理想を見いだす、魅力的な題材として取り上げられています。例えば、超人的な活躍をする「戦う男」たちが総じて「美男」に描かれることは、江戸の昔から現代に到るまで変わらず共通しています。浮世絵の武者絵、いわゆる英雄豪傑のブロマイドが人気だったように、今もカードゲームにはイケメンの戦士が描かれます。多種多様な属性などを想像して「推し」を選ぶ楽しみは今も昔も同じです。魅力的なキャラクターへの憧れは、時代を問わず変わらないものなのかもしれません。（SN）

74-1
歌川国芳
誠忠義士傳　一　大星由良之助良雄
1843～47（天保14～弘化4）年

赤穂浪士の史実をベースにした忠臣蔵は日本史上、最も有名な仇討ちの物語といっていいでしょう。討ち入りから50年ちかくを経た1748（寛延元）年、『仮名手本忠臣蔵』が浄瑠璃と歌舞伎の演目として創作されました。大石内蔵助を大星由良之助にするなど名前を変えていますが、赤穂事件に題材することは周知の事実でした。

本作は四十七士に塩冶判官、高師直を加えた全五十一点のシリーズで、ここではうち九点を紹介しています。義士たちが身にまとう黒地に白の雁木模様のそろいの装束は、夜闇と雪を表し、ダンディズムの象徴となっています。揃いの装束に身を包むことで、かえって一人一人の個性が際立ちます。さまざまなポーズで見得を切る、勇ましく粋な四十七士の姿が、各人の生い立ちから討ち入りにいたるまでの来歴と共に紹介されます。信念を貫き通した義士たちは江戸の人々の憧れの的であり、現代までその人気は衰えません。（GR）

74-2
歌川国芳
誠忠義士傳 二 大星力弥良兼
1843〜47（天保14〜弘化4）年

74-4
歌川国芳
誠忠義士傳 八 行川三平定則
1843〜47（天保14〜弘化4）年

74-3
歌川国芳
誠忠義士傳 三 矢頭與茂七教兼
1843〜47（天保14〜弘化4）年

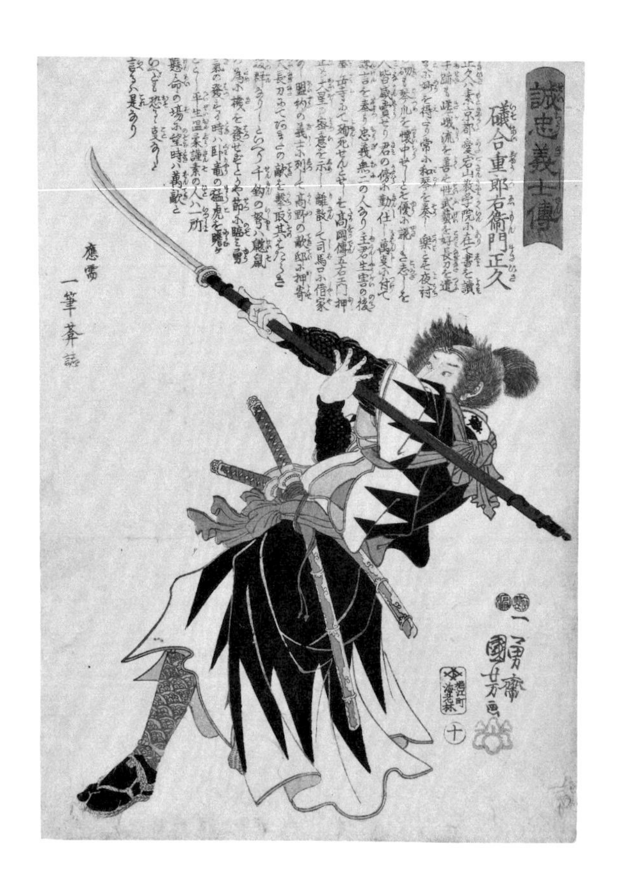

74-5
歌川国芳
誠忠義士傳 十 礒合重郎右衛門正久
1843〜47（天保14〜弘化4）年

74-6
歌川国芳
誠忠義士傳 十四 大鷹玄吾忠雄
1843〜47（天保14〜弘化4）年

74-7
歌川国芳
誠忠義士傳 十七 岡島弥惣右エ門常樹
1843～47（天保14～弘化4）年

74-8
歌川国芳
誠忠義士傳 二十 徳田貞右衛門行高
1843～47（天保14～弘化4）年

74-9
歌川国芳
誠忠義士傳 三十三 菅屋三之丞正利
1843～47（天保14～弘化4）年

75-1
月岡芳年
和漢百物語 楠多門丸正行
1865（慶応元）年

月岡芳年（1839〜92）は、幕末から明治にかけて活躍した浮世絵師です。ここでは日本と中国の怪奇譚に取材したシリーズ《和漢百物語》から、怪異と戦う男たちの勇姿を紹介しましょう。

楠木正成の嫡男で、後醍醐天皇の南朝方の武将として戦った楠木正行と、不破伴作（p.56解説参照）は、いずれも美少年と謳われたヒーロー。ここでは戦場の武功ではなく、妖怪を退治した逸話が描かれています。怪物を鋭い目で睨みつけ、臨戦態勢のポーズもキマっています。妖怪がいささか間抜け顔なのは、ご愛嬌。華やかな菊の模様の衣装をまとった正行はいかにも美少年らしく、後れ毛や袖をくわえた口元に色香が漂います。（KY）

75-2
月岡芳年
和漢百物語　不破伴作
1865（慶応元）年

75-3
月岡芳年
和漢百物語 左馬之助光年
1865（慶応元）年

左馬之助光年は明智光秀の家臣。大宅太郎光圀は山東京伝作の読本の登場人物で、源頼光の弟頼信の家臣と設定されています。怪異が表れた暗闇の中にきりりと引き締まった表情の白い顔が浮かび上がり、戦いの前の一瞬の静けさが切り取られています。いずれも黒を効果的に用いて凛としたたたずまいを演出し、「戦う男」の美しさが表された作品です。（KY）

75-4
月岡芳年
和漢百物語　大宅太郎光圀
1865（慶応元）年

75-5
月岡芳年
和漢百物語 鷺池平九郎
1865（慶応元）年

75-6
月岡芳年
和漢百物語 小野川喜三郎
1865（慶応元）年

こちらは肉体派のふたり。鷺池平九郎は楠木正行に従い軍功をあげた農民出身の武者として軍記物語に登場する人物。小野川喜三郎は江戸時代後期、天明から寛政期（1781～1801）に活躍した力士で、妖怪を退治したエピソードが描かれています。両者とも筋骨たくましい体躯が、筋肉の盛り上がりを示す線を駆使して表されています。胸の下の線で胸板の厚さを表しているようですが、お腹はのっぺりとしていて、現在の私たちがイメージする「マッチョ」の表現とは少し違いますね。師匠、歌川国芳が得意とした筋骨隆々の武者像の表現を踏襲したものですが、芳年の身体描写はこの後、西洋絵画の影響を受けて変化してゆきます。（KY）

75-7
月岡芳年
和漢百物語 宮本無三四
1865（慶応元）年

75-8
月岡芳年
和漢百物語 仁木弾正直則
1865（慶応元）年

宮本無三四（武蔵）は言わずと知れた時代劇のヒーロー。飛び上がって天狗の翼をバッサリ切り落とした、躍動感あふれるアクションシーン。真っ黒な背景に、天狗の肩から斬り落とされた翼が血の混じった軌跡を描く、壮絶な描写です。

仁木弾正直則は歌舞伎に登場する有名な悪役。胸の前で組み合わせた手の形とネズミがくわえる巻物によって、彼がネズミに化ける妖術の使い手であることを暗示しています。仁木弾正を描いた浮世絵は他にもありますが、歌舞伎の一場面をクローズアップした華やかなものが多く、このように抑制の効いたクールな表現は芳年ならではのものといえましょう。現代に通じる「悪役の美」が表された、モダンな描写です。

幕末の文学や歌舞伎においては、悪や暴力、怪奇を描いた退廃的な物語が流行しました。そうした潮流に乗って脚光を浴びたのが、「血みどろ絵」の絵師とよばれる芳年です。（KY）

76-1
月岡芳年
魁題百撰相 大塔宮
1868（明治元）年

《魁題百撰相》は、軍記物語や実録に取材し、南北朝時代から江戸時代初期までの戦乱に関わった人物を描いたシリーズです。流血をともなう苛烈な描写から「血みどろ絵」「無惨絵」を代表する作品とされています。歴史上の人物にまつわるエピソードという体裁をとっていますが、実は芳年がリアルタイムで体験した、旧幕府軍と明治新政府軍の戦いの見立てになっています。芳年は1868（慶応4）年5月の上野戦争の折、戦場に赴き傷ついた兵士や死者の写生を行ったといわれています。

後醍醐天皇の皇子である大塔宮（cat.no.76-1）は、彰義隊が擁立した輪王寺宮の見立て、足利義輝は最後の将軍、徳川慶喜の見立てです。宮様と将軍だけあって、いずれも色白でノーブルなお顔立ち。衣装も華やかで、大塔宮は蓑笠をかぶった逃走中の身の上ながら、唐草模様の袖が透けて見えるという洒落た仕掛けもあります。あえて美貌が半分隠されているところも、憎い演出です。（KY）

76-2
月岡芳年
魁題百撰相 足利義輝公
1868（明治元）年

76-4
月岡芳年
魁題百撰相 滋野左ヱ門佐幸村
1868（明治元）年

滋野左ヱ門佐幸村は、ご存知、真田幸村のこと。詞書に「士卒に手疵負へる者あれば自己血を吸ひ薬を与へていたはる事大方ならねば軍卒等皆感激して死をもて恩に答んと誓ふ」とあるとおり、傷を負った配下の兵の肩を抱き、薬を飲ませている場面です。目を伏せて口に微笑を浮かべ、慈愛に満ちた表情で家臣を介抱する幸村。血にまみれ、髪も着物も乱れた兵士と対照的に、真田の六文銭を染め抜いた赤い陣羽織や花模様の装束、そして整えられた頭髪が、皇子や将軍にも匹敵するような高貴な美しさを演出しています。生きるか死ぬかの瀬戸際にある戦場の光景であっても、こうして美談にいろどられた絵になってしまうと、私たちは美しいものとして鑑賞してしまいます。その背徳感がいっそう、「血みどろ絵」を見る際の高揚感を高めているといえるでしょうか。（KY）

76-3
月岡芳年
魁題百撰相 鷺池平九郎
1868（明治元）年

鷺池平九郎（さぎのいけへいくろう）は、《和漢百物語》（cat.no.75-5）にも登場する、肉体派の美丈夫。ラグビーボールのように抱えているのはなんと生首で、ギョッとさせられます。せっかく同じ人物が出てきたので、二つのシリーズを比べてみましょう。まずは目に注目すると、《魁題百撰相》の方が大きく、上下のまつ毛が描き込まれ、白目の端に青色が施されるなど、印象が強くなっています。腕や胸の描写では《和漢百物語》で見られた、パターン化された線描によるゴツゴツした筋肉の表現がなくなり、豊満な身体描写に変化しています。また、《和漢百物語》には下から上へおくれ毛がなびくという不自然な描写がありますが（怪異のせい?）、《魁題百撰相》では見栄を切ったところに後ろから風が吹き、格好よく髪がなびいているように見えます。西洋画の要素を取り入れながら、芳年が新時代に評価される「美男」の描写を模索していたことがうかがえます。（KY）

76-8
月岡芳年
魁題百撰相 松永春松
1869（明治2）年

松永春松は戦国武将、松永久秀の子または孫とされる人物。織田信長の人質となっていたことから、久秀が信長に謀反を起こした折に、わずか13歳で斬首されてしまいます。死を前にした場面でしょうか、不安そうな表情が哀れみを誘う一方、白い肌に流れる毛筋や赤い唇、長いまつ毛と流し目、乱れた着衣などからはエロティシズムを感じずにいられません。明治時代の幕開けに、すでに「死と美少年」というモチーフがかくも甘美に描かれていたのでした。（KY）

76-5
月岡芳年
魁題百撰相　森蘭丸
1868（明治元）年

76-6
月岡芳年
魁題百撰相 森坊丸
1868（明治元）年

76-7
月岡芳年
魁題百撰相 森力丸
1868（慶應4）年

織田信長に小姓として仕えた美少年として名高い森蘭丸には、坊丸、力丸という弟がいました。このシリーズでは本能寺の変で主君を守って戦った三兄弟の姿が、流血とともに描かれています。最も衝撃的なのは力丸で、敵の首2つを肩から下げ、目を血走らせて青くなった唇を噛み締めています。《魁題百撰相》にはしばしば、鮮血と対比させるかのように血の気の失せた青い顔の描写が見られます。芳年が描いた残酷さや恐ろしさの中に浮かび上がる美は、江戸川乱歩、三島由紀夫、澁澤龍彦といった後世の文学者を魅了し、現代の多くのアーティストにも大きな影響を与えています。（KY）

77
高畠華宵
主税の奮戦
昭和初期

《主税の奮戦》(cat.no.77) で突きつけられた刃をものともせずに戦う少年は、16歳で切腹した赤穂浪士の一人、大石主税です。《杜鵑一声》(cat.no.79) で血の付いた刀を手に、一声鳴いて飛び去るホトトギスを見上げる少年は、白虎隊の一員なのでしょう。死への悲壮な覚悟を背負った少年剣士たちが、あくまでも美しく伸びやかに描かれています。

日本画、洋画を学んだ高畠華宵は、ギリシャ彫刻やラファエル前派などに学んだ西洋美術の美意識と、浮世絵の要素を巧みに融合させ、独自の美の類型を作り上げました。華宵の描く少年少女は、切れ長の三白眼に高い鼻梁という同じパーツを備えており、服装の違いがなければどちらがどちらかわからないほどです。ジェンダーが厳格に区分された大正から昭和初期の教育環境において、中性的な魅力をもつ華宵の美少年像は、同時代の少年たちに対して、憧れや性的な関心の対象として強く訴えかけました。(SA)

78
高畠華宵
月下の小勇士
1929（昭和4）年

79
高畠華宵
杜鵑一声
1926（大正15）年

80
高畠華宵
古城の春
1927（昭和2）年

81
高畠華宵
馬賊の唄
1929（昭和4）年

82
高畠華宵
さらば故郷!
1929(昭和4)年

白馬を従え、マントをなびかせてきりりと前を向く少年(cat.no.81)。池田芙蓉による冒険小説『馬賊の唄』の主人公・山内日出男と、愛馬の西風です。『日本少年』誌上で1925年から1年間連載され、華宵の挿絵とともに人気を集めました。中国大陸で捕らえられた父を救出するため、日出男少年は戦いを繰り広げながら、夕日に向かって進みます。

貧しい少年たちにもまた、それぞれの戦いがありました。《さらば故郷!》(cat.no.82)では、わずかばかりの荷物を持って故郷を旅立つ少年が描かれます。家族のために奉公に上がるのでしょうか、それとも立身出世を夢見て都会に出るのでしょうか。凛としたまなざしに決意が感じられます。華宵は自らも生まれ育った愛媛県の宇和島を離れて絵の道に進みましたが、上京したばかりの頃は仕事が得られず苦難の時を過ごしています。華宵の描く健気な少年の姿は、修業や勉学に励む読者を勇気づけたことでしょう。《古城の春》(cat.no.80)の少年は、散りゆく桜を感傷的な面持ちで見つめています。足に巻かれた包帯も、読者のフェティシズムをくすぐったようです。(SA)

83
山口将吉郎
桜ふぶき
1929（昭和4）年

山口将吉郎（1896〜1972）は東京美術学校（現・東京藝術大学）で結城素明に日本画を学び、挿絵の世界で活躍しました。作者の描く、鋭い光をまなこに宿した面長の少年たちには独特の上品さがあり、『少年倶楽部』『キング』『講談倶楽部』などに掲載された少年少女小説を彩りました。吉川英治作の『神州天馬侠』の主人公・伊那丸は武田信玄の孫で、武田家の復興を祈願して大活躍します。

細部まで丹念に描きこまれた正確な描写と、武具の鮮やかな色彩の調和、躍動感が魅力的な《桜ふぶき》の若武者は、花びらが舞い散る中でダイナミックに馬を駆ります。これら『少年倶楽部』に掲載された凛々しい武者の姿は、あまたの読者たちの憧れを呼び覚ましました。（GR）

84
山口将吉郎
馬上の武田伊那丸
1927（昭和2）年

85
伊藤彦造
阿修羅天狗
1951（昭和26）年

大正・昭和と挿絵画家として活躍し、絶大な人気を博した伊藤彦造（1904～2004）の描く男性は、丹念な描き込みと迫真性の追求により、独特の妖艶さをまとっています。それは死に直面した「戦う男」ならではの気魄と壮絶な色香を放ち、見る者を物語の世界に惹きつけます。橋本関雪に日本画を学んだのち、新聞・雑誌の時代小説の挿絵で注目を集め、『少年倶楽部』『少女倶楽部』等に登場して、少年少女の心を掴んだ彦造は、特に繊細なペン画に真骨頂を発揮しました。《阿修羅天狗》（cat.no.85）は、『冒険活劇文庫』（『少年画報』の前身）に掲載された、野澤純作の読物『阿修羅天狗』の挿絵。幕末の江戸で、謎の剣士紫頭巾を父の仇と狙う美少年、伊織を描いています。仇でありながら、自分の危機を影で助ける紫頭巾との縁に翻弄され、やがて復讐の心をなくしていきます。《杜鵑一声》（cat.no.86）の「杜鵑」はホトトギスのこと。月を背景に、少年剣士が意気揚々と刀を掲げる様子を描いています。（SN）

86
伊藤彦造
杜鵑一声
1929（昭和4）年

天草四郎
万源九郎
宮本武蔵
さる
おに

87
山口晃
夢枕獏 著『大帝の剣』(角川文庫) 装画
2015~16 (平成27~28) 年

山口晃（1969～）は、大和絵や浮世絵といった日本美術の手法を引用した精緻な画風で知られます。現代の名所絵などを通して絵画における時空間の認識を問い直してきた山口ですが、引き締まった筋肉と骨格をスタイリッシュに描写した男性像や、どこか官能的な仏画など、美男も多く手掛けてきました。

夢枕獏（1951～）によるSF伝奇小説『大帝の剣』は、1985年に連載が始まり、掲載誌の休刊による長期中断を経て26年後の2011年に完結しました。圧倒的な強さを誇る主人公は、巨大な西洋の剣を帯びた身の丈2メートルの大男、万源九郎。妖術を操る魔性の美貌剣士・牡丹こと天草四郎に、伝説の剣豪・宮本武蔵、そして地球外生命体に寄生されて甦り武蔵を追う佐々木小次郎など、さまざまな戦う男たちが登場します。忍や土蜘蛛、宇宙船までもが入り乱れ、息もつかせぬアクションシーンを繰り広げる奇想天外な物語です。強烈な個性を持つキャラクターたちを、山口は闊達なイマジネーションで描いています。（SA）

姫夜叉
以蔵
某
祥雲
佐々木小次郎
柳生十兵衛

88
松岡映丘
屋島の義経
1929（昭和4）年

色鮮やかな鎧。自信に満ちあふれた表情。源平合戦のひとつ「屋島の戦い」で平家軍を海上に追い詰めた源義経が、屋島の浜で扇を振りながら名乗りをあげている様子が描かれています。『平家物語』「嗣信最期」に取材した作品で、同書冒頭にこの時の義経の装いについて「赤地の錦の直垂に、紫裾濃の鎧着て、鍬形打ちたる兜の緒をしめ、金作りの太刀帯き、二十四差なる截生の矢負ひ」とあり、義経が平家方の舟を睨み付け、大音声で「一院の御使、検非違使五位尉源義経」と名乗ったことなどが記されています。有識故実を研究していた松岡映丘は、この記述に沿って、義経の衣装を忠実に描いています。『平家物語』では義経の後に、源氏方の武士が次々と名乗りをあげますが、ここでは義経一人に登場人物を絞り、威厳のある姿を演出しています。興味深いことに、本作を菊池契月《敦盛》（cat. no.11）と見比べて見ると、源平の勝敗がもたらした両者の運命の差とともに、色使いや仕草など人物表現が対極であることがわかります。この二人はともに悲運の最期を迎えますが、それぞれの作者がどう描く対象を捉えて表現しようとしているかがよく感じとれます。（SN）

89
猪飼嘯谷
頼朝手向の躑躅
1938（昭和13）年

鎌倉幕府を開き、初の武家政権の樹立に努めた源頼朝。武士を統率する立場特有の威厳のある姿や、人間味を感じさせるエピソードなどが画題になっています。安田靫彦は六曲一双の大作《黄瀬川陣》（東京国立近代美術館蔵）で、義経と頼朝を左右に描いて対峙させ、その対比で両者の心理的表出を試みましたが、出品作《源氏挙兵（頼朝）》（cat.no.90）では、頼朝がやや緊張した面持ちで武装し、独り門前に立つ姿を描いています。父義朝が平治の乱に敗れ、頼朝は伊豆国で20年近く流人生活を送ったのち挙兵しますが、手始めに伊豆を支配していた平氏方の山木兼隆宅を襲撃、父の長刀を手に北条時政らと兼隆を討つことに成功します。靫彦は緋縅の鎧をつけた頼朝以外の描写を最小限とし、源氏再興の第一歩を踏み出した頼朝の決意を表現しています。猪飼嘯谷（1881～1939）の《頼朝手向の躑躅》（cat.no.89）は、源平合戦のさなか、頼朝にいち早く味方して戦死した相模国の武将、三浦義明を悼み、その菩提を弔うために満昌寺（横須賀市）を建て、のちにその境内に頼朝が躑躅を植えたという逸話を描いた作品です。嘯谷は風俗や背景を取材し、頼朝の心情を表すよう隅々まで丁寧に描写しています。（SN）

90
安田靫彦
源氏挙兵（頼朝）
1941（昭和16）年

91
安田靫彦
静訣別之図
1907（明治40）年頃

「判官びいき」という言葉が生まれるなど、源義経は、日本の歴史上でも悲劇的英雄として知られる人気の高い人物です。異母兄・源頼朝の挙兵に応じて数々の戦功を挙げ、平家を滅亡させた立役者であるにも関わらず、頼朝との確執を経て自害に追い込まれるその数奇な生涯は、多くの伝説や物語を生みました。義経が愛妾、静御前と吉野の山中での別れる場面も『義経記』の記述によって広まり、歴史画の好画題となりました。本作では、頼朝方の追っ手が迫る山中、義経は女性の足ではこれ以上の山越えは無理と判断。別離を告げられた静が、義経から授けられた鼓「初音」を抱きしめ別れを惜しむ様子が描かれています。安田靫彦は、義経に達観した穏やかな表情を浮かべさせ、静かな雪の山中に無情の悲しみが漂う様子を表現しています。美男に描かれることが多い義経ですが、『源平盛衰記』や『義経記』では色白で容貌も仕草も優美であるなどと描写されている一方、『平家物語』では、背が低く出っ歯だと平家軍が義経の容姿を揶揄する場面があります。真偽のほどは定かではありませんが、悲劇の英雄が美男であると強調されることで、物語が人々に深く浸透し、人気に拍車をかけたと言えるでしょう。（SN）

92
川合玉堂
小松内府図
1899（明治32）年

小松内府とは、平清盛の嫡男・平重盛のことです。保元・平治の乱で父を扶け、数々の武功を挙げたという勇猛さを持つ一方、性格は温厚で理知に富み、『平家物語』には、短気で直情的な父清盛と対照的な人物として描かれています。本作は、1177（治承元）年、平家討伐の企てに後白河法皇が加わっていたと知った清盛が、怒りにまかせて法皇を捕らえようとする際、武装する平氏一門のなかで、重盛だけが独り烏帽子に直衣に大紋模様の指貫姿の平服で表れたという場面を描いています。動揺する周囲の者らに対し、重盛は悠然と構える様子が窺えます。この後、重盛は清盛と対面し、言葉を尽くして父の不忠暴横を諫めますが、既に出家して浄海と名乗っていた清盛は、平服の重盛の手前、法衣の下に武装を隠しているのがさすがに気まずく、やがて重盛の諫言を聞き入れ、後白河法皇の幽閉を思いとどまります。重盛は清盛の非道さを浮き立たせるため、あえて善良ぶりが際立つキャラとして描かれていますが、数々のエピソードから、人間的な魅力のある人物として理想化されました。本作は風景画で知られる川合玉堂（1873～1957）には珍しい歴史画で、登場人物の表情の対比と、細部まで描き込まれた衣装の美しい色合いが目を引きます。（SN）

「ポセイドン編」オープニング映像より

第1話より

93
テレビアニメシリーズ「聖闘士星矢」
原作：車田正美
シリーズディレクター：森下孝三、菊池一仁
シリーズ構成：小山高生、菅良幸
1986～89（昭和61～64）年放映

「ポセイドン編」エンディング映像より

車田正美のマンガ『聖闘士星矢』（集英社『週刊少年ジャンプ』で1985～90年に連載）は、1986年にテレビアニメ化されると、荒木伸吾と姫野美智による美麗なキャラクターデザイン、緩急ある華やかなアクション、迫力と色気を兼ね備えた声優陣の演技などにより、当初ターゲットとした小学生男子だけでなく、多くの女性ファンも獲得しました。89年まで全114話が放映されたほか、映画やゲームなどにも展開、海外でも放映され長きにわたり人気を誇っています。

物語は、「聖衣」とよばれる鎧を身につけて戦う「聖闘士」たちが戦いを繰り広げる、ギリシャ神話をモチーフとしたバトルアクション。主人公、ペガサス星矢を中心とする五人の「青銅聖闘士」たちは、女神アテナを守るため次々と現れる強敵に立ち向かう中で成長し、友情を育みます。チームで戦う集団ヒーローものはこれ以前にもありましたが、熱血少年、クールガイ、中性的な美少年など、性格やルックスの異なる少年たちにそれぞれ熱心なファンがつき、美少年アニメの先駆けとなりました。流血や死をともなう戦闘、悲劇的なエピソード、美しくも個性的な敵キャラ、必殺技を繰り出す際の踊るような動き、時代がかったセリフ回しなど、歌舞伎にも通じる要素が見られます。エキゾチックな世界設定を持ちながらも、日本の「戦う男」の系譜に連なった作品といえましょう。（KY）

キャラクター設定 ペガサス星矢

94
乃希
出陣
2021（令和3）年

乃希は、カードゲームや小説の表紙および挿絵、コミック作画などの分野で活動するイラストレーター。ビビッドな色彩と愛らしい表情のキャラクターが持ち味で、ファンタジー世界で活躍する戦士たちの溌剌とした姿や、ノスタルジックな風景にいきづく少年、少女を、デジタル作画によって描いています。

本作に描かれているのは島根県益田市が、乃希、および地元の高校生と共に進行中のプロジェクトから生まれたキャラクターたちです。2020年に益田市が「中世日本の傑作を味わう−地方の時代に輝き再び」として日本遺産に認定されたのを機に、地域の歴史のPRや観光振興を目的として、平安時代から戦国時代にかけ益田周辺を統治した領主、益田家の歴代当主二十人がキャラクター化されました。高校生のデザインも起用し、既存の戦国武将イメージにとらわれない自由な発想で生まれた、多彩な設定、容姿、装いの武将たちが、時空を超えた共演を見せています。

こうした歴史上の人物の「イケメン」キャラクター化は、近年はゲームやアニメのみならず、地域おこしの分野にも浸透しています。これまでは「ゆるキャラ」や美少女キャラクターが注目を浴びがちでしたが、今後は美少年、美青年キャラクターの躍進も見られることでしょう。（KY）

Column 4

集団男子の魅力

五味良子（埼玉県立近代美術館学芸員）

歌や演奏、演劇、ダンス、スポーツ、武芸、特殊能力など、ある技能で結びつき、使命や理想を共有するグループは、男女問わずなぜ多くの人を惹き付けるのでしょうか。集団という一つの枠組みにはめ込むと、その中での違いが強調され、単独では見過ごしてしまいそうなメンバー一人一人の個性が際立ちます。さらにグループ内で展開するやり取りを見て、ファンはメンバー同士の関係性を想像しながらストーリーを作ることができます。このようにしてファンは自分のお気に入りのメンバー“推し”を応援し、追いかける楽しみを見つけるのです。

本書に掲載されている作品の中では、《花下遊楽図屏風》(cat.no.23)や《入相告ぐる頃》(cat.no.40)、《当世好男子伝》のシリーズ（cat.no.71)、《聖闘士星矢（アニメ版）》(cat.no.93)、《大奥》(cat.no.108)などに華々しい男性の集団が登場し、自分好みの一人を探す楽しさを与えてくれます。他にも日本の文化をたどると、その時代ごとの理想の男性像が集団であらわされた様子がうかがえます。たとえば仏教美術の中では四天王や千手観音に従う二十八衆といった仏法を守護する集団の系譜がありますし、侍の世界には武将とその従者たちの肖像や、集団による合戦シーンを描いた絵画などがあります。人々の暮らしを描く風俗図や祭礼図、役者絵、相撲力士絵などにも、男性の集団が登場します。

近代のケースとして、明治時代に登場した錦絵《開化好男子》（図1）と美男子コンテスト「当選美男子」（図2）をご紹介しましょう。水野年方による《開化好男子》は、1890（明治23）年に制作された二枚続きの版画で、上級役人、法学博士、代議士、壮士[1]、学校生徒、若旦那の八人の異なる社会的属性の男性たちが一堂に会しています。いずれも瀟洒な姿で描かれ、文明開化の時代に、どのようなタイプの男性像が「好男子」として人々の羨望のまなざしを受け止めていたのかを物語ります。また「当選美男子」は、1910（明治43）年に『毎日電報』紙上（『毎日新聞』の前身）で行われた写真コンテストです。日露戦争の勝利に沸く中、日本の美男を海外に発信することを目的に、「立派な顔」の代表的美男子を募集する企画でした。全国から1,000件を超える応募があり、華族の前田利彭が優勝しました。豊かな髭を蓄えた男性や知的に眼鏡を光らせる男性、バイオリンを演奏する男性など、当時の人々の目に麗しく映ったであろう男性像を見ることができます。20年の中で、「好」ましいという属性から「美」しいという外観へ焦点が変化しているのもポイントの一つになるでしょう。

これら明治期の例で興味深い点は、従来とは異なり、ほかの「誰か」ではなく「自分」が主役となる視点が加わっていることです。近世以前の集団美男子の図像は、基本的に図鑑的に「眺めて」享受す

［本書で紹介する4章の視座］
（5章はこれらの視座を越境・解体）

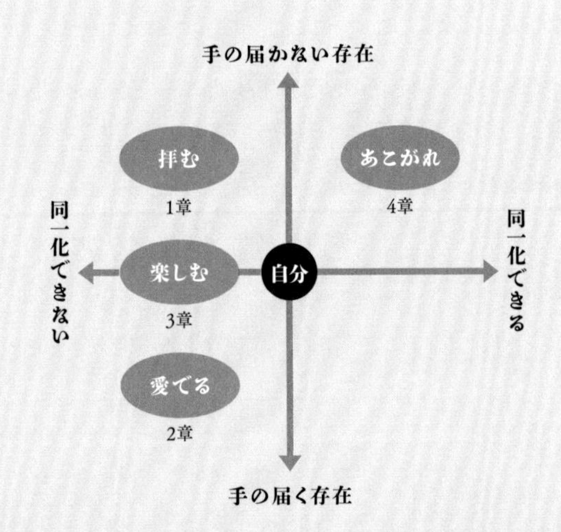

るものでした（下図の1〜4章の視座を参照：手が届かず同一化もできない／手は届くが同一化できない／同一化できない／同一化はできるが手が届かない）。一方で《開化好男子》や「当選美男子」は、男性にとって「まねる」、さらに進んで「なる」対象となっているのです（同一化できる・手の届く存在）。ここには、西洋思想とともに「個人」の意識が到来した、近代の大きな変化が見て取れます。いまだ身分制度の名残をとどめてはいるものの、いちおうの四民平等が謳われる世となり、男性は立身出世を望むことができるようになりました。《開化好男子》に描かれている憧れの職業に、将来の自分や家族の姿を重ねて夢見ることが許されるようになったのです。さらに「当選美男子」は、読者が投稿・投票という形で直接的に参加できるシステムです。当時の新聞が担っていた情報を双方向性に届けるという特性—それにより、これぞという美男を推したり、あるいは美男になった自分を他人と共有できるようになりました—は、現代のSNSによる情報交換や参加型オーディションの源流ともいえるでしょう。

図1｜《開化好男子》
1890（明治23）年 江戸東京博物館蔵

図2｜「当選美男子」『毎日電報』明治44年1月1日
1910（明治43）年 国立国会図書館蔵

［註］

1　壮士とは、明治中期の自由民権運動の活動家のこと。時に力に訴えることも厭わなかったことから、血気盛んな人物や無頼の徒を指すこともありました。

第5章

わたしの「美男」、あなたの「美男」

ここまで、人々が男性のどのような姿に「美」や「ときめき」を見出してきたか、あるいは理想の少年像、男性像にどのような想いを託してきたか（妄想を抱いてきたか）を、4つのテーマに沿って見てきました。最終章では、現代のアーティストによる多様な表現を紹介します。

長らく女性作家には、「美男」を描く機会が与えられてきませんでした。明治後期から昭和初期にかけて「美人画」の領域ですぐれた作品を生み出した女性たちはいましたが、男性の姿のよさを表した絵を公の場で発表することはありませんでした。

女性作家の手による魅力的な男性像が登場したのは、少女漫画の世界からです。まず、主人公の少女の恋の相手となる少年や、憧れの対象となる大人の男性が現れました。少女雑誌の「お約束」の枠を出るものではなかったとしても、女性による「これが私にとっての美しい男」という願望が表現されたという意味では一歩前進したといえましょう。そして1970年代、少年の心と身体をもって愛を語り、壮大な物語を紡いだ漫画作品が続々と誕生し、大きな衝撃と喝采をもって迎えられました。また、「少年向け」に作られたキャラクターや物語も男女を問わず楽しまれるようになり、それらを題材とした二次創作において、少年同士の恋愛を描く女性たちも現れます。こうした動きが「ボーイズラブ（BL）」や「乙女系」、「イケメンキャラ」の流行を生み、一大市場を形成するに至った現在、女性が男性像を見たり語ったりすることへの障壁は以前より薄くなったといえましょう。

さて、マンガ、アニメ、ゲームなどいわゆるサブカルチャーを文化的な土壌として育った作家たちは、1990年代からアートの領域にサブカルチャーの要素を取り込みました。当初目立ったのは美少女のモチーフでしたが、2000年代には美少年、美青年を主題とした作品も登場しました。

一方で、男性作家による自らの内面や周囲の日常、あるいは男性の身体そのものを見つめた作品も注目されます。ヒーローでもアイドルでも力の象徴でもない、社会の規範から解放された男性像や、社会に対するメッセージを込めた作品など、近年、様々な作品が登場しています。

与謝野晶子が鎌倉の大仏を「美男」と歌ったように、作品を見る私たちの前には、それぞれの趣味や経験がフィルターとして立ち現れてきます。ここに集められた作品には、共感できるものもあれば、戸惑いを感じるものもあるでしょう。本展が、江戸時代から現代までの多彩な表現をめぐりながら、あなたが好ましいと思う男性像について考え、語る場になることを願います。（KY）

95-3
竹宮惠子
KISS・接吻（『風と木の詩』より）
1976～84（昭和51～59）年（画初出：1977年）

漫画の世界で「美少年」といえば、ジルベールを思い浮かべるほど、竹宮惠子（1950～）の『風と木の詩』は人々の記憶に強く刻まれ、多くの支持を集めてきました。1976年から84年まで、少女漫画誌（『週刊少女コミック』1981年冬の号から『プチフラワー』／いずれも小学館）に発表されたこの物語は、19世紀末、フランスの名門校・ラコンブラード学院を舞台に、悪魔的美少年、ジルベール・コクトーと、貴族の父とジプシーの母をもつ転校生セルジュ・バトゥールを中心に、二人の深い愛と葛藤を描きました。彼らをとりまく複雑な人間関係を軸に、同性愛、近親相姦、人種差別、暴力など、当時の少女漫画界の常識を打ち破るテーマが練りこまれ、そのプロットは女性の視点で性を捉えるなど様々な価値観を覆し、漫画の文化史に大きな影響を与えました。本展の出品作は、「原画´（ダッシュ）」と呼ばれる複製原画です。竹宮惠子が教授、学長を務めた京都精華大学（現在同大学名誉教授）で、自ら研究を提案・指揮し、原画の保存と公開のために開発したプロジェクトで制作されたものです。色調整を幾度も重ね、原画と並べても見分けがつかないほど精巧に作られています。現在も読み継がれる不朽の名作の美しい世界観をお楽しみください。（SN）

95-2
竹宮惠子
薔薇の上に（『風と木の詩』より）
1976～84（昭和51～59）年

95-1
竹宮惠子
少年オーギュスト（『風と木の詩』より）
1976～84（昭和51～59）年

95-4
竹宮惠子
青い夕暮れ（『風と木の詩』より）
1976～84（昭和51～59）年

95-5
竹宮惠子
高貴なるもの（『風と木の詩』より）
1976～84（昭和51～59）年

96
川井徳寛
共生関係〜自動幸福〜
2008（平成20）年

川井徳寛（かわいとくひろ）（1971〜）は、西洋絵画やおとぎ話に由来する主題を独自の解釈で再構築し、幻想的かつ華やかな少年少女、動物たちを描く油彩画家です。

《共生関係〜自動幸福〜》（cat.no.96）では、美の象徴たる薔薇を背負った白馬の王子が勝ち誇ったような表情で、助けを待つ少女に手を差し伸べています。しかし実のところ彼は何もしておらず、悪魔を退治しているのは翼のある少女たちです。ストローで薔薇の蜜を吸う、つまり王子の美しさからエネルギーを得ている美少女軍団が彼を助けるという構図が「共生関係」というわけです。一方、悪魔が背負う薔薇が枯れていることから、「美＝正義」がこの絵のテーマのようにも思えてきます。「美男」とは、それを讃える信奉者が生み出す幻想にすぎないのかもしれません。

《相利共生》（cat.no.98）もまた、きび団子を与える桃太郎と犬・猿・雉の「共生」によって鬼退治が進行していますが、桃太郎は（ポーズとしては）自ら鬼に立ち向かう「戦う男」として描かれています。（KY）

97
川井徳寛
Sleep collector
2010（平成24）年

98
川井徳寛
相利共生／Mutualism ～ automatic ogre exterminator
2011（平成23）年

99
唐仁原希
もういいかい
2016（平成28）年

唐仁原希（1984〜）は西洋古典絵画の描法やモチーフを取り入れ、西洋風の暗い館、あるいはファンタジー世界で暮らす少年少女を描いています。
《もういいかい》（cat.no.99）は、「王子による救出を待つ少女」と、「神秘的な少女の力で癒される傷ついた少年」の、両方の読み方ができる作品です。《キミを知らない》（cat.no.100）、《旅に出る虹の子ども》（cat.no.101）は、何か宿命を背負っているような少年の肖像画ですが、物語の詳細は描かれず見る者の想像にゆだねられています。彼らの指には絆創膏が貼られ、ミルキーやNIVEAといった母性や癒しを象徴するアイテムが描きこまれています。また、画中には『週刊少年ジャンプ』や『ドラゴンボール』の単行本、ゲーム「ドラゴンクエスト」の「仲間の棺桶を引いて歩く勇者」のイメージの引用など、冒険や戦いの物語を想起せるモチーフが描き込まれています。少年漫画やPRGゲームの影響下に育った作者の根底には「選ばれた少年が傷つきながら戦う」物語が流れていると同時に、キャラクターとして生み出した少年たちを慈しみ見守る視線が存在します。マンガ、アニメ、ゲームが文化の土壌となった時代に出現した、「（架空の）伝説の美少年」像です。（KY）

100
唐仁原希
キミを知らない
2015（平成27）年

101
唐仁原希
旅に出る虹の子ども
2020（令和2）年

102
入江明日香
L'Alpha et l'Oméga
2019（平成31／令和元）年

入江明日香（いりえあすか）（1980~）は、銅版画を制作のベースとして用いています。銅版で刷った薄い和紙を切り抜いてコラージュし、ドローイングを施す独自の技法によって、版画ならではの質感やインクの発色を追求しています。

日本的な表現は、版画工房で学ぶために渡仏した際、浮世絵の展覧会を見たことがきっかけで取り入れるようになったといいます。少年として表現された《持国天（じこくてん）》(cat.no.103)と《廣目天（こうもくてん）》(cat.no.104)は、東大寺戒壇堂の四天王像に着想を得たものです。この頃から武士をモチーフにしていましたが、そういった「武者絵風」の作品に区切りをつけるために制作されたのが、「始まりと終わり」や「永遠」を意味するタイトルを冠した《L'Alpha et l'Oméga》(cat.no.102)でした。幅約10メートルの巨大な画面上で動と静を劇的に対比させた本作は、入江の集大成といえるでしょう。

入江の描く肉体は絶えず変容し、浸食され、風とともに散っていきます。人と自然も、生と死すらも一体となって万物の循環に取り込まれるのです。その理（ことわり）を知ってか知らでか、画面の端では小さな生き物たちが思い思いに動き回っています。(SA)

103
入江明日香
持国天
2016（平成28）年

104
入江明日香
廣目天
2016（平成28）年

106
木村了子
夢のハワイ– Aloha 'Oe Ukulele
2016（平成28）年
撮影：宮島径

ビーチでくつろぐおしゃれ男子《夢のハワイ》（cat.no.106）と、月下の竹林で風呂上がりの一杯を味わう男のヌード《月下美人図》（cat.no.107）は、いずれも「美人+穏やかで美しい自然+ファッショナブルな衣装とアイテム／湯上りのくつろぎ」という、美人画に求められる要素を備えたものです。右隻に七人の「肉食系男子」、左隻に七人の「草食系男子」を描いた《男子楽園図屏風》（cat.no.105）では、イケメンたちのはつらつとした姿に目を奪われますが、水墨画の技法を用いた背景が、耕作図や仙人図など近世絵画のイメージを想起させます。タイトルの「楽園」とは、描かれた男子たちにとってのでしょうか、あるいは作者や絵を見る人にとってのものでしょうか。

木村了子（きむらりょうこ）（1971～）は、2005年から「イケメン」を描き続けている日本画家です。女性目線のエロスを標榜する活動は、美人画の歴史に一石を投じています。日本画の伝統をひく線描と色面による明朗な描写や、浮世=現代の享楽を主題としているためか、そこに表されたエロスは内に秘める性質のものではなく、時に笑いを含んだカラリと明るい表現となっています。（KY）

107
木村了子
月下美人図
2020（令和2）年

105
木村了子
男子楽園図屏風 − EAST & WEST
2011(平成23)年
撮影：宮島径

WANTED
BAR
BURGUER
MEAT IS MURDER

MEAT IS
MURDER
9-9

108-1
よしながふみ
『大奥』1巻カバーイラスト
2005（平成17）年

よしながふみ（1971～）によるマンガ『大奥』は、2004年から隔月刊誌『メロディ』（白泉社）で連載が始まり、21年に全19巻で完結しました。江戸時代の日本をモデルにした作中の世界では、女性が将軍の職に就き、江戸城には男性ばかりを集めた大奥が存在します。疫病の流行によって男性の人口が激減したことで、女性が労働を担い政治の表舞台に立つようになったのです。三代将軍家光の治世から江戸幕府の終焉に至る歴史のうねりの中で、制約を抱えながら懸命に生きる人々のドラマと、彼らが通わせる情愛が細やかに描き出されます。あえてジェンダーを入れ替えることで家父長制の歪さが浮かび上がり、生きることの意味が繰り返し痛切に問われます。

目尻に紅を引いた男性は、「水野」として大奥に上がった貧乏旗本の息子・祐之進（cat.nos.108-1, 108-2）。僧侶の姿をしているのは、謀略により還俗させられ、やがて大奥総取締となる万里小路有功（cat.no.108-3）。いずれも『大奥』を彩る美男たちです。かつて将軍の正室であった島津胤篤と、留学に向かう津田梅子のラストシーン（cat.nos.108-8～108-10）には、未来への希望が託されています。（SA）

108-2
よしながふみ
『大奥』(『メロディ』2004年8月号トビラ/1巻口絵)
2004 (平成16) 年

108-3
よしながふみ
『大奥』2巻カバーイラスト
2006 (平成18) 年

108-4
よしながふみ
『大奥』(『メロディ』2006年4月号表紙/2巻口絵)
2006 (平成18) 年

108-5
よしながふみ
『大奥』18巻カバーイラスト
2020 (令和2) 年

108-6
よしながふみ
『大奥』(『メロディ』2008年4月号/4巻収録)
2008(平成20)年

108-7
よしながふみ
『大奥』(『メロディ』2008年4月号/4巻収録)
2008(平成20)年

108-8

108-9

108-10

108-8, 108-9, 108-10
よしながふみ
『大奥』(『メロディ』2021年2月号/19巻収録)
2021(令和3)年

109
吉田美希子
風がきこえる
2021（令和3）年
撮影：吉本和樹

吉田芙希子（1988～）はレリーフを中心に、憧れの美青年の顔を制作する作家です。ドローイングの線から生まれた美青年のイメージは、立体に起こす過程で輪郭線が消失し、平面上では表し得ない滑らかで微かな凹凸が出現します。背景も彩色もなく、首から下の身体も持たない顔のみが拡大されて浮かび上がることにより、私たちは作者が考える美青年のイメージ、すなわち「美しい顔だち」と対峙することになります。

吉田の作品の多くでは、少女マンガの美青年につきものの花が人物の周りに散らされています（参考図）。しかし本展のために制作された《風がきこえる》（cat.no.109）に花の装飾はなく、代わりに優美に流れる髪やスカーフが暗示する風が、美青年をロマンティックに演出しています。白一色のレリーフという硬質な表現に風という「動」の要素を導入することで、あたかも彼の時が止まったかのような効果が生まれています。そのため私たちはこの美青年の顔に至近距離まで迫り、耳元から唇、まつ毛の先までを無遠慮に見つめることができるのです。男性の身体性を抑制しながらフェティッシュな要望には応じてくれる吉田の作品は、まさにファンタジーとしての「美男」を形にしたものといえるでしょう。（KY）

（参考）
吉田芙希子
lovely lovely
2017（平成29）年
撮影：大島拓也
提供：京都市立芸術大学

110
舟越桂
風をためて
1983（昭和58）年
撮影：大谷一郎

舟越桂（1951～）は、1980年代はじめから木彫彩色の人物像を制作し続けています。初期作品の一つである《風をためて》（cat.no.110）は、愁いを帯びた端正な顔立ちの青年です。ほぼ等身大の、へその下あたりまでの半身像。シャツとセーターを身に着け、前髪を無造作に後ろに撫でつけた猫背ぎみの姿は、いかにも街ですれ違ったことがありそうで、どこか懐かしさを感じさせます。一方で、材料となっている楠の木目や表面の細かなひび割れ、鑿の跡は、この像が決定的に人間ではないことを示しています。この親近感と他者性のはざまに、ある種の理想的な人間像が立ち現れています。

詩的なタイトルは、鑑賞者と作品との間に無二の関係性を作り出すための仕掛けです。《ルディーの走る理由》（cat.no.111）の爽やかな佇まいの青年は、ランニングシャツを身に着けてはいるものの、今まさに走っている姿ではありません。ましてや、走る理由が明らかにされることもないのです。作品と対峙するとき、このタイトルと作品とのずれが想像力を喚起し、作品の周りに物語の世界が広がったように感じられるのです。（SA）

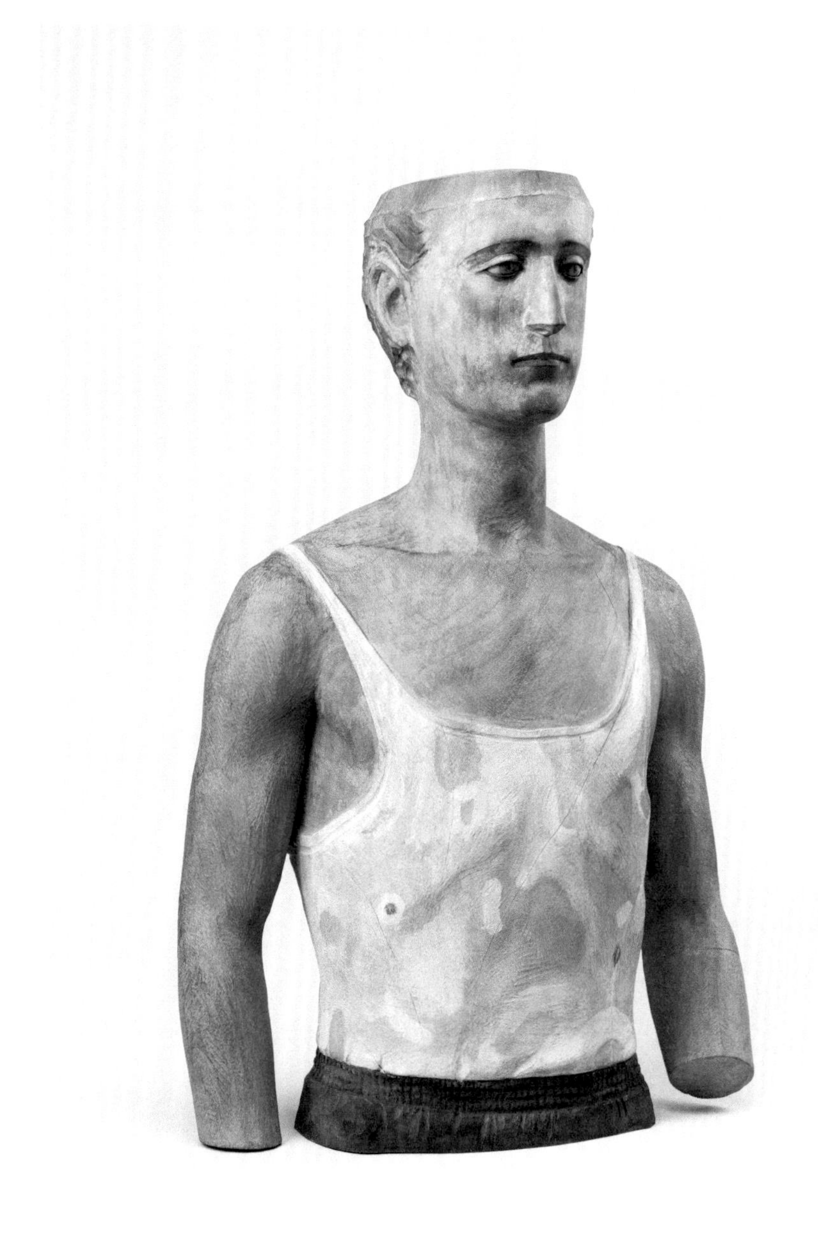

111
舟越桂
ルディーの走る理由
1982（昭和57）年
撮影：大谷一郎

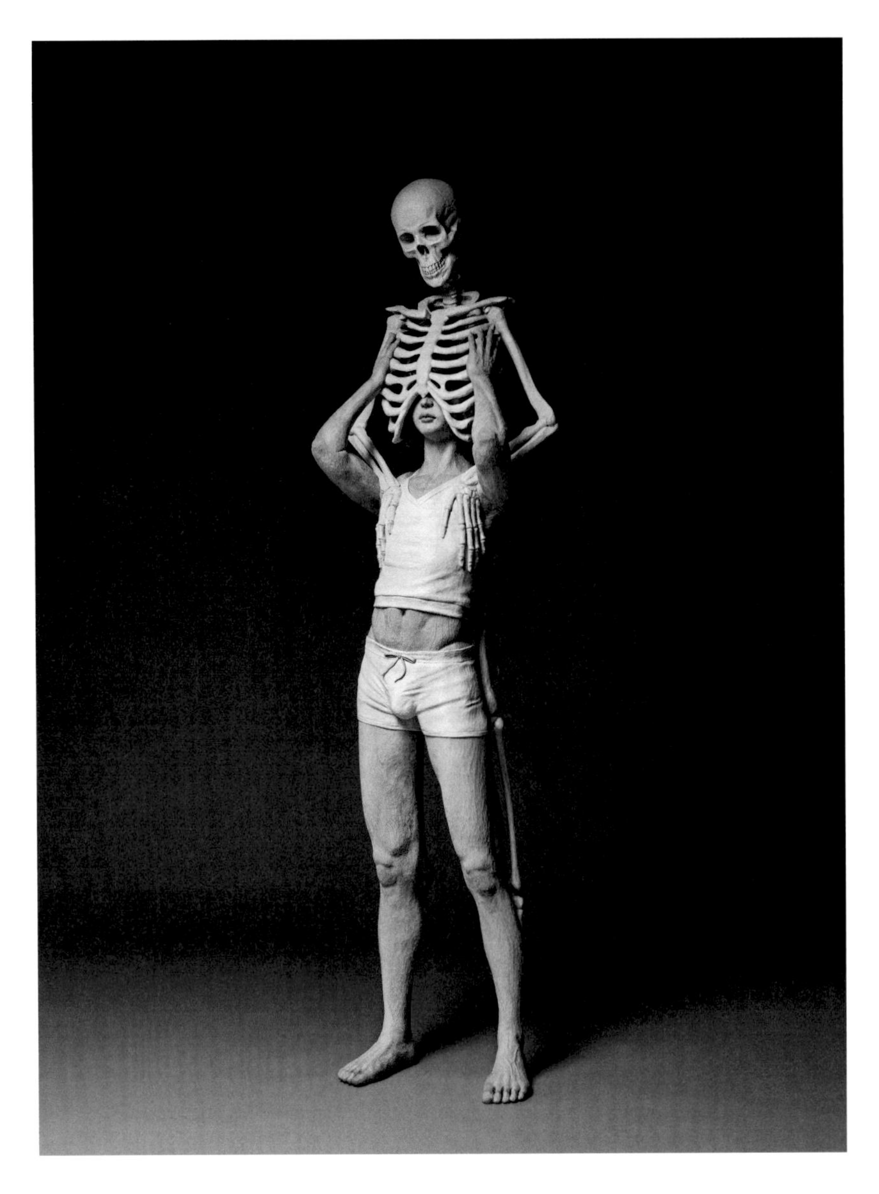

112-1
金巻芳俊
空刻メメント・モリ
2021（令和3）年

時のうつろいや人間の持つ多面性は、金巻芳俊（かねまきよしとし）（1972〜）にとって重要なテーマです。この作品では、若く美しい身体と骸骨の姿をした死のイメージが同居する、西洋の「死を想え（メメント・モリ）」の警句を形にしています。若さや美貌は、時と共に消え去る儚いものであるということを伝え、一見遠く隔たったところにいるように思える若者にも、いつか死が訪れることを思い起こさせる教訓です。

メメント・モリに由来する図像は、ペストが流行した中世から15世紀にかけてのヨーロッパでさかんに生まれました。死が直接的には見えにくい存在になっている現代社会ですが、感染症が猛威をふるう今日、金巻の卓越した技術によって、古（いにしえ）の格言が説得力を持ってよみがえります。（GR）

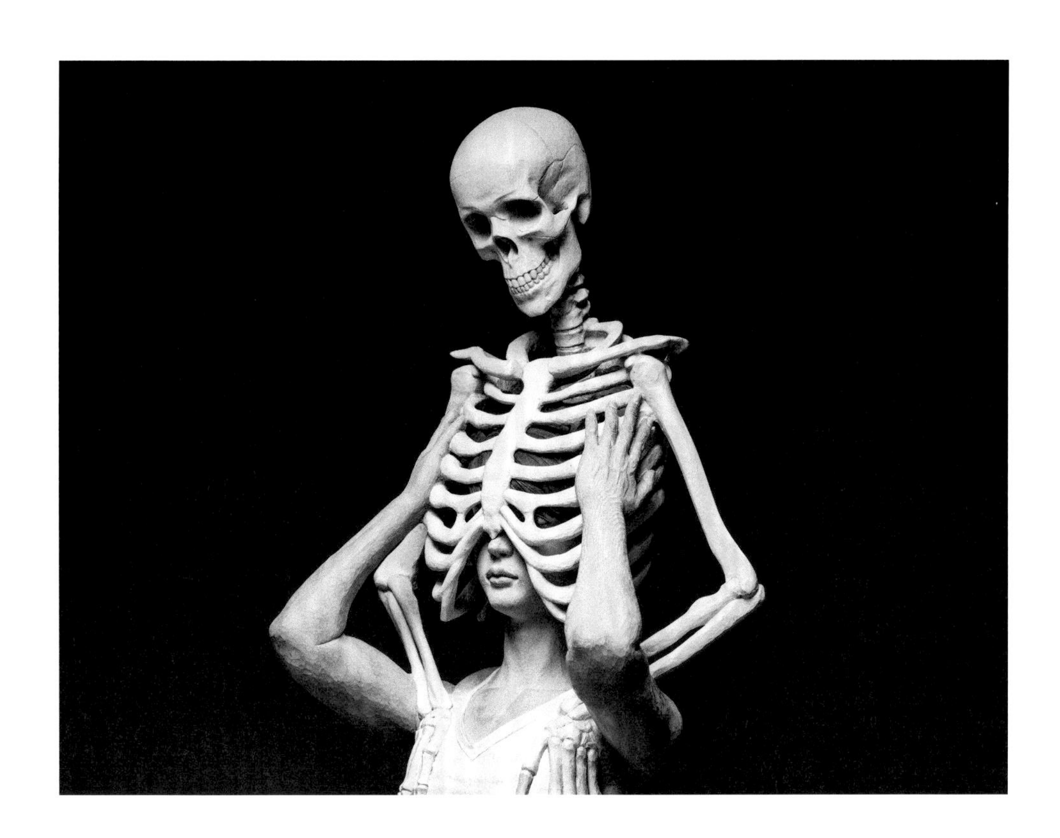

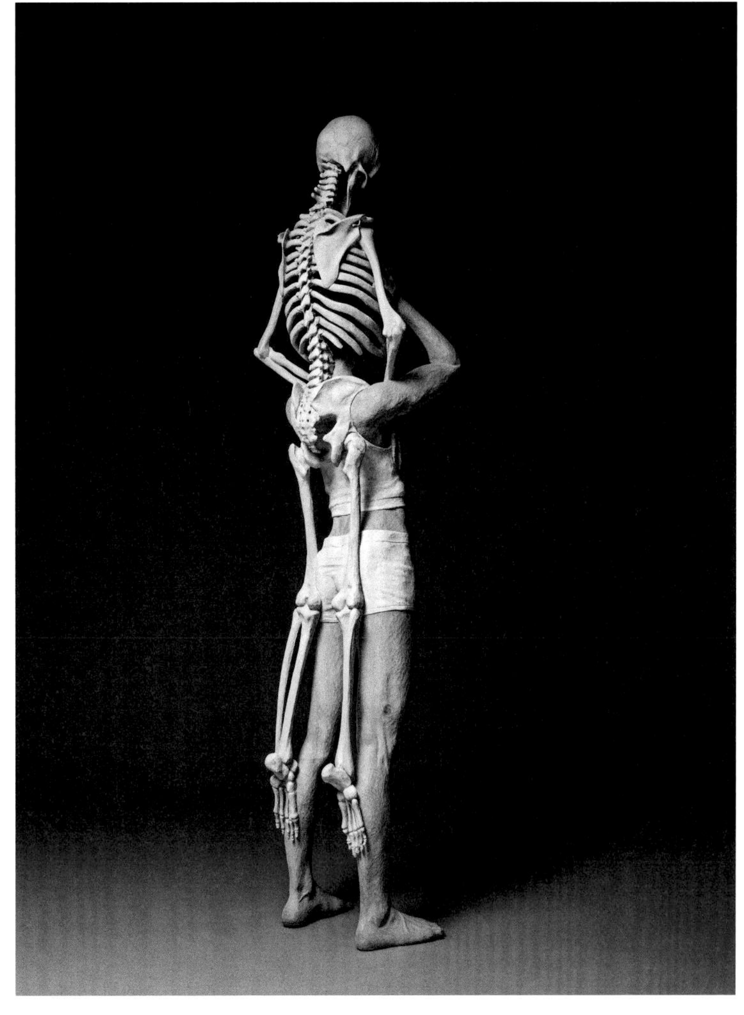

113-2
市川真也
A head full of dreams
2021（令和3）年
写真提供：ギャラリイK

113-1
市川真也
Lucky star
2021（令和3）年
写真提供：ギャラリイK

113-3
市川真也
Sunshine day
2020（令和2）年
写真提供：ギャラリイK

逞しい青年たちが、きらきらと光るまなざしで優しく微笑みかけてきます。画面を満たす明るい光と爽やかな空気、人物たちが醸し出す親密な雰囲気は、見る人を幸せな気持ちで包み込むかのようです。市川真也（1987〜）は街やインターネットで目にした男性像と、自然ゆたかな湖畔や美術館など、さまざまなロケーションとシチュエーションを組み合わせ、特定の個人ではないけれども、どこか親しみを覚えるような青年のイメージを創り上げていきます。そのようにして男性を描く「美人画」を成立させることを試みていると作者は語ります。また作品の世界観を広げるタイトルは、音楽の楽曲からインスピレーションを受けてつけられています。（GR）

113-4
市川真也
Bright moments
2020（令和2）年
写真提供：ギャラリイK

113-5
市川真也
Marz
2019（平成31／令和元）年
写真提供：ギャラリイK

113-7
市川真也
Boy with Luv
2021（令和3）年
写真提供：ギャラリイK

113-6
市川真也
Fake & true
2020（令和2）年
写真提供：ギャラリイK

114-2
森栄喜
"Untitled" from the Family Regained series
2017（平成29）年
Courtesy of KEN NAKAHASHI

「Family Regained」のシリーズは、森栄喜（もりえいき）（1976〜）が自身や親しい友人たちを写した、架空の家族写真です。森は知人たちの家を訪れ、時に住人の服を借りて自らも加わり、セルフタイマーで撮影を行いました。誰かの服に身を包むということは、その人と一体化をはかる試みであり、家族の中に溶け込もうとする作者のアプローチの現れです。そしてこのシリーズに登場する家族像は、構成するメンバーの人数や性別による組み合わせに縛られません。固定観念を超える、さまざまな家族のあり方が提示されます。

画面をおおう鮮烈な印象の赤色は、すべての人間に流れる血と同じ色です。赤の世界は、誰しもが結びつく世界。ある「誰か」にとってのかけがえのない大切な人、美しい存在は、「あなた」や「わたし」にとっても大切な存在であり得る—そんな世界が遠い彼方の幻想ではなく、実際に我々が生きる世の中に見つけられるようにと訴えかけてきます。（GR）

114-1
森栄喜
"Untitled" from the Family Regained series
2017（平成29）年
Courtesy of KEN NAKAHASHI

114-3
森栄喜
"Untitled" from the Family Regained series
2017（平成29）年
Courtesy of KEN NAKAHASHI

115-1
森栄喜
"Untitled" from the Family Regained series
2017（平成29）年
Courtesy of KEN NAKAHASHI

多様な家族像を描き出す森の「Family Regained」シリーズの中には、単身の人物を写したものもあります。自分にとってこの上なく美しい人へ投げかける、親愛なる眼差し。その眼差しがとらえた日常生活のひとこまでありながらも、切り取られ 脱色され タイトルを得て 人目にさらされることで、より普遍的な意味合いを持つようになります。家族は一人でも成立すると森が語るように、人間の関係は必ずしも"対等"なカップルを基本とするものではありません。片親と子のこともあれば、ときどきの状況に応じて一緒にいたり離れたりする関係もありますし、共に暮らしていた人が独立したり亡くなったり、あるいは自由な意思で一人で暮らしている場合も稀ではありません。ゆるやかに複数で生活を共にしている共同体のようなケースもありうるでしょう。さまざまなライフスタイルを無理に「家族」としてくくる必要も、もはやないのかもしれません。どのような形でも、そこに心地よさが感じられる場があれば、人は生きていけるのです。（GR）

115-2
森栄喜
"Untitled" from the Family Regained series
2017（平成29）年
Courtesy of KEN NAKAHASHI

115-3
森栄喜
"Untitled" from the Family Regained series
2017（平成29）年
Courtesy of KEN NAKAHASHI

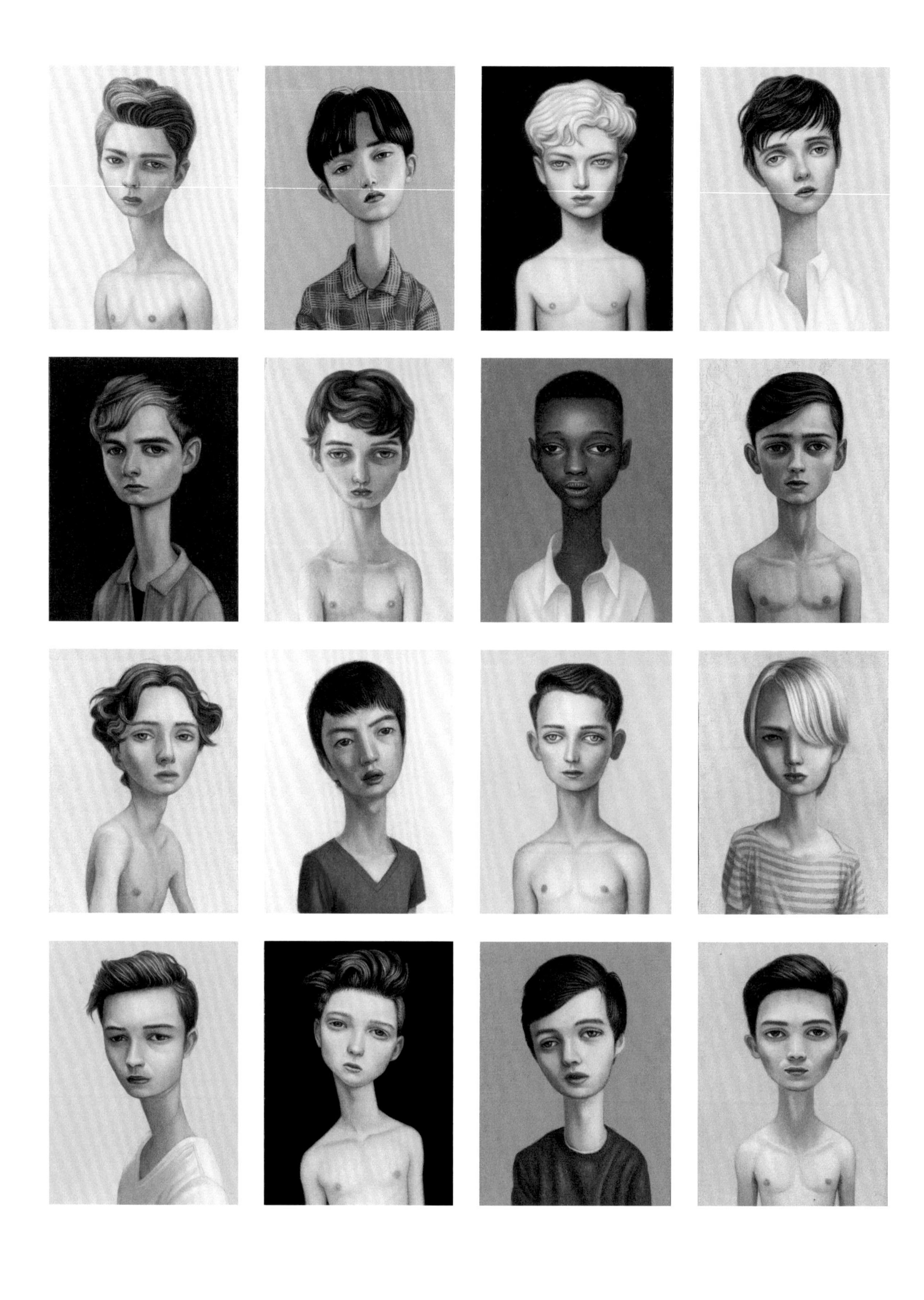

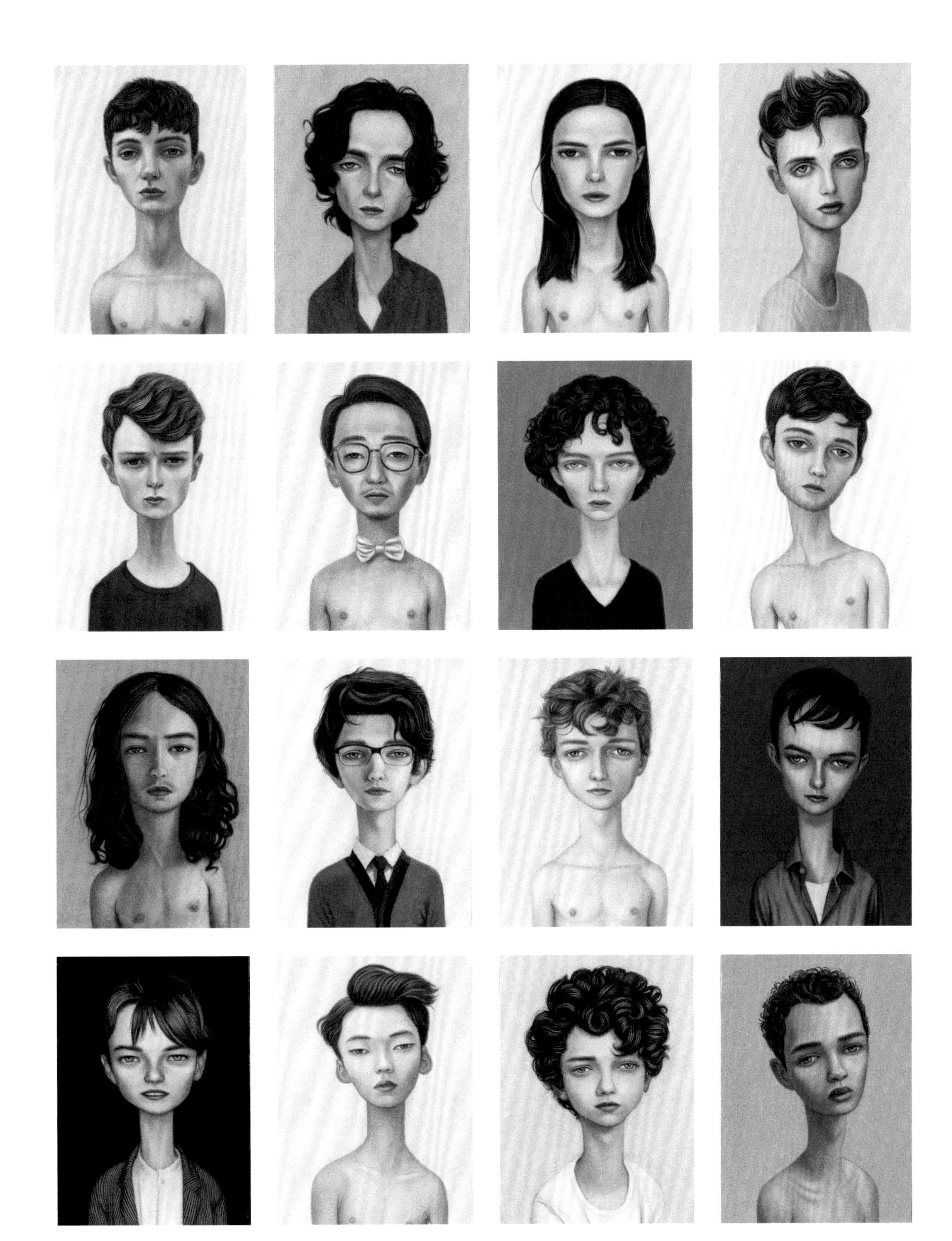

116
海老原靖
colors
2021（令和3）年
Courtesy of KEN NAKAHASHI

三十二枚のカンバスに描かれた三十二人の男性。顔立ちも肌の色もそれぞれ違う彼らは、作家の友人たちや映画俳優をモデルに描かれています。彼らはみな、時間の流れの中で取り残されたように、空虚な表情を浮かべています。海老原靖（1976~）は、やがて消えゆくものに向き合い、記憶にとどめおくことをテーマに制作を続けてきました。銀幕をきらびやかに彩る俳優たちは、消費される美の象徴でもあります。

カンバスの裏を見ると、まるでマンションの部屋番号のように、A-101から408までの番号が、向かって左下から順に振られています。しかし、このマンションの住人たちは互いに交流することはありません。わたしたちのじっと見つめる視線も、描かれた男性たちの視線と交わることはありません。薄い絵の具の層を繊細に重ね、皮膚を通して血管まで透けて見えるような表現がなされていながらも、彼らの内面を窺い知ることはできないのです。そこには一方的に見られることの哀しみがあり、断絶の痛みがあるといえるでしょう。作家自身は眼鏡と蝶ネクタイを身につけて、画面の外へ醒めたまなざしを送っています。(SA)

鬱蒼とした木立を背景に、男性の裸身がぼんやりと浮かび上がります。はかなく脆く写し出されたその肉体は、夢の中を漂うように木々の間をめぐりながら、自然の中に還る場所を探すかのようです。スウェーデン出身のヨーガン・アクセルバル（1972～）は、15年間のニューヨーク滞在を経て、2011年から東京を拠点に活動する写真家です。密集した都会の生活に疲れ、外国人として暮らす孤独や疎外感を抱えたアクセルバルは、東京の都心部に点在する自然に安らぎを求めました。撮影の舞台となったそこはまさに彼にとっての「聖域」であり、自己解放の場でもあったのです。

父や祖父が庭いじりをする姿を見て育ったアクセルバルにとって、花は男性を象徴するものだといいます。モデルが戯れる花々には、日本という異文化との出会いによってもたらされた、“男らしさ”のゆらぎを読み取ることもできるでしょう。写真に添えられている言葉は、詩人・高橋睦郎（たかはしむつお）（1937～）が一連の作品に寄せた「なりに行く」と題された詩の一節です。「僕になれるところ」への憧れを詠ったこの詩は、アクセルバルが本作に込めた感情や意図を見事にとらえています。（SA）

117-1
ヨーガン・アクセルバル
“untitled/verse two” from the Go To Become series
2017（平成29）年
©Jörgen Axelvall Courtesy of KEN NAKAHASHI
詩：高橋睦郎　Poem: TAKAHASHI Mutsuo

117-2
ヨーガン・アクセルバル
“untitled/1:38AM” from the Go To Become series
2017（平成29）年
©Jörgen Axelvall Courtesy of KEN NAKAHASHI

117-3
ヨーガン・アクセルバル
"untitled/2:41AM" from the Go To Become series
2017（平成29）年

117-4
ヨーガン・アクセルバル
"untitled/4:43AM" from the Go To Become series
2017（平成29）年

119
井原信次
Daily gate
2012（平成24）年

暗い部屋の中、生活器具から発せられる光と、それに照らし出される男性の身体。光と闇の強い対比はバロック美術を思わせますが、描かれた人物の身振りに大仰さはありません。鍛え上げられているわけでもない、裸の身体はただそこにあって、日常を生きているにすぎないのです。《Daily gate》（cat.no.119）では、冷蔵庫を開けるという、生活の中で幾度となく繰り返される動作がモチーフになっています。ハレーションを起こしたように白く光る庫内は、別の空間に通じているようにも思われます。《Afterimage》（cat.no.118）では、ストーブがじんわりと発光して、煙草を手に佇む身体を闇の中にやわらかく浮かび上がらせます。絵筆の痕跡がほとんど消し去られた画面に、光そのものが結晶化したような瞬間が現出しています。モデルはいずれも作家自身です。

井原信次（いはらしんじ）（1987～）は、男性に宿る見過ごされがちな美しさをすくい取るように描いてきました。見られることを想定していない男性の身体は、暗い部屋に置かれているようなものかもしれません。井原はそこに日常の光をあてることで、ふとした美しさを露わにしているのです。（SA）

118
井原信次
Afterimage
2018（平成30）年

Column 5

「美男」の身体

佐伯綾希（埼玉県立近代美術館学芸員）

西洋美術の伝統において、人間の身体の美しさが追求されてきたことはよく知られています。古代ギリシャ・ローマで理想とされた身体美の規範はルネサンスに引き継がれ、理想的な身体の比率は普遍的な美に通じると考えられました。他方で、江戸時代までの日本美術においては、身体そのものを美的にとらえる習慣がありませんでした。身体への関心じたいは、例えば相撲絵などにみられる誇張された筋肉の表現からも窺えますが（図1）、これは標準的な身体からかけ離れた力強さを表すことが第一の目的であり、いわゆる身体美の追求とは趣を異にしています。

近代彫刻の父と称されるオーギュスト・ロダンは、トルソという形式に美を見出しました。頭や四肢が意図的に取り去られたトルソは、筋肉のねじれや緊張が強調されることで独自の造形美を獲得しています（図2）。しかし、ここに男性の身体を象った頭のないトルソがあったとして、それは「美」ではあるにしても「美男」であるとは思われないでしょう。わたしたちが「美男」をイメージするためには、やはり首から上が重要なのだと思われます。

吉田芙希子による美青年のレリーフ（cat.no.109）は、このことを端的に示しています。このレリーフは、「美男」という以外は何の設定も持っていません。身振りや筋肉の緊張といった、身体の内部で起こっていることを推測させる情報はおろか、色彩の情報もありませんし、裏側にぐるりと回りこんで鑑賞することもできません。「顔立ち」以外の身体を存在させないことで、物語性ないし時間性が徹底的に排除されるというわけです。吉田の作品は、「美男」の概念を突き詰めたときに現れる一つの形であるといえましょう。

とはいえ、本展で取り上げる「美男」たちの多くは、顔立ちも含めた身体とともに表現されています。「美男」の身体がどのような機能をもつのか、しばし考えてみましょう。

まず、大きな割合を占めるのが「器」としての身体です。第1章で紹介した、稚児をはじめとする美少年たちの身体は、いわば聖性の器です。超越的な存在が人間の形をとることで、人間を聖なるものと結びつける役割を果たしています。肉体的な快楽と強く結びついた若衆の身体もまた、欲望を受け止める器のようなものでしょう。若衆歌舞伎の舞台上で踊る身体には動きの要素も加わっており、華麗な衣装はその動きを視覚的に強化します。

四谷シモンによる球体関節人形（cat.no.45）の空洞の身体は、人間の愛着を受け止め、人格を宿す可能性を秘めた器としての機能をもちますが、その造形はやや特殊です。全体として人間の身体を模してはいるものの、穴の開いた球状の関節部——もっとも、衣服で覆い隠されているのですが——によって、四肢の可動性と人間との隔たりとが同時に示されています。自由にポーズをつけられることはいっそうの愛着を生みますが、その可動域は生きた人間とは明らかに異なります。「人間らしい」ポーズをとらせなければ一瞬で崩れる、かりそめの人間らしさとでも言うべきものが、器としての機能に揺さぶりをかけることで、作品に強い吸引力をもたらしています。

それでは、役者絵に描かれた歌舞伎役者たちの身体はどうでしょうか。役柄を演じる身体はすなわちキャラクターの依り代であり、その意味では器であるといえます。しかし、彼らが演じるキャラクターは、身体の内に宿すというよりはむしろ、衣装や化粧として表層に纏うように表現されているのが興味深いところです。《当世好男子伝》（cat.nos.71-1～71-6）で描かれた刺青もまた、身体の表層にかかわっています。彼らの身振りは、感情の発出としての動きではなく、型として付与されたものです。
「美男」の身体を、表層にキャラクター性を纏わせた欲望の器と言い換えるならば、それを大胆に発展させたのが木村了子（cat.nos.105〜107）でしょう。わたしたちに向かってほほ笑み、流し目を送り、ウィンクを投げてくる「イケメン」たちの身体は、見られ、欲望の対象にされるための装置です。といっても、そこに窃視的な要素はなく、彼らは見られていることを百も承知です。そのキャラクター性はただ身体を見せるために纏わされたものですが、彼らはそれすら承知のうえで自信たっぷりに演じてみせるのです。
　最後に、出展作品の中から少し毛色の変わった身体にも言及しておきましょう。金巻芳俊の《空刻メメント・モリ》（cat.no.112）が、いずれ朽ちてゆく物質としての身体を表すとすれば、ヨーガン・アクセルバル（cat.nos.117-1〜117-4）が写す身体はどこまでも非物質的で、魂そのものでさえあるように思われます。また、人間どうしの関係性を問いかけ、ときにオルタナティブな回答を提示する森栄喜の一連の作品（cat. nos.114-1〜115-3）において、身体は関係性の器といえるかもしれません。「美男」の身体のありかたには、多様な可能性が広がっています。

図1｜歌川国貞
《荒馬吉五郎・小柳常吉》
1840〜42年（天保11〜13年）年　城西国際大学水田美術館蔵

図2｜オーギュスト・ロダン
《〈影〉のトルソ》
静岡県立美術館蔵

作品リスト

作品番号
作家名
作品名
制作年
技法材質 形状（出版物出典）など
寸法（cm）
所蔵
※作品番号に＊を付しているものについては、
展覧会に出品されるが、本書への図版掲載はない

1
谷文晁
稚児文殊像
19世紀（江戸時代後期）
絹本着色 軸
98.8×35.5
東京国立博物館

2
松岡映丘
稚児観音
1919（大正8）年
絹本着色 軸
159.5×56.0
天台眞盛宗東京別院眞盛寺

3
狩野養川院惟信
菊慈童図
18世紀後期〜19世紀初期（江戸時代中〜後期）
絹本着色 軸
58.8×118.8
板橋区立美術館

4
松元道夫
制多迦童子
1957（昭和32）年
絹本着色 額
171.8×111.4
京都国立近代美術館

5
安田靫彦
風神雷神図
1929（昭和4）年
紙本着色 二曲一双屏風
177.1×190.4
遠山記念館

X-1*
山岸凉子
《孔雀明王の王子》カラー原画
（『日出処の天子』より）
作家蔵

6
蕗谷虹児
天草四郎（『名残の繪姿』口絵原画）
1926（大正15）年
彩色、紙
14.7×8.5
蕗谷虹児記念館

7
蕗谷虹児
久松（『名残の繪姿』口絵原画）
1926（大正15）年
彩色、紙
15.5×10.0
蕗谷虹児記念館

8
蕗谷虹児
菊のたより（『令女界』口絵原画）
1947（昭和22）年
彩色、紙
23.5×31.5
蕗谷虹児記念館

9
安田靫彦
鞍馬寺参籠の牛若
1974（昭和49）年
紙本着色 額
127.8×59.8
滋賀県立美術館

10
松本楓湖
牛若
1874（明治7）年
絹本着色 軸
178.7×84.5
東京国立博物館

11
菊池契月
敦盛
1927（昭和2）年
絹本着色 軸
198.0×86.0
京都市美術館

12
今村紫紅
笛
1900（明治33）年頃
絹本着色 軸
107.8×40.5
東京国立近代美術館

13
高畠華宵
夜討曽我
1937（昭和12）年
絹本着色 軸
127.5×26.0
弥生美術館

14
豊原国周
名古屋山三郎　片岡我童
19世紀（江戸時代末〜明治時代初期）
木版、紙
36.3×24.5
早稲田大学坪内博士記念演劇博物館

15
歌川国芳
名古屋山三郎
1848（嘉永元）年
木版、紙
37.0×25.0
早稲田大学坪内博士記念演劇博物館

16
歌川国芳
名古屋山三郎
1848（嘉永元）年
木版、紙
36.7×25.0
早稲田大学坪内博士記念演劇博物館

17
歌川豊国（三代）
名古屋山三郎
1848（嘉永元）年
木版、紙
35.0×25.0
早稲田大学坪内博士記念演劇博物館

18
豊原国周
不破伴作　片岡我童
1885（明治18）年
木版、紙
37.6×24.4
早稲田大学坪内博士記念演劇博物館

19
豊原国周
不破伴作　市村家橘
1865（慶応元）年
木版、紙
36.8×24.6
早稲田大学坪内博士記念演劇博物館

20
歌川豊国（三代）
時代世話当姿見　不破伴作
1858（安政5）年
木版、紙
37.6×25.6
早稲田大学坪内博士記念演劇博物館

21
豊原国周
不破伴作　市村羽左衛門
1865（慶応元）年
木版、紙
36.4×24.4
早稲田大学坪内博士記念演劇博物館

22
絵師不詳
舞踊図屏風
1624〜44年頃（寛永期）
紙本金地着色 二曲一隻屏風
147.0×170.3
島根県立石見美術館

23
菱川派
花下遊楽図屏風
1701（元禄14）年頃
紙本着色 八曲一隻屏風
119.7×359.2
島根県立美術館

24
絵師不詳
花下遊楽図絵巻
18世紀（江戸時代中期）
紙本着色 巻子
25.1×235.5
島根県立美術館

25
宮川長春
若衆図
18世紀（江戸時代中期）
絹本着色 軸
76.3×24.0
東京国立博物館

26
宮川一笑
色子（大名と若衆）
18世紀（江戸時代中期）
絹本着色 軸
45.3×61.2
たばこと塩の博物館

27
懐月堂派
双六遊図
1716～36年頃（享保期）
紙本着色 軸
22.0×46.0
東京国立博物館

28
勝川春潮
喫煙若衆図
18世紀（江戸時代中期）
絹本着色 軸
99.6×45.7
板橋区立美術館

29
山本藤信
男女之図
1770年代頃（明和末～安永初期）
紙本着色 軸
77.7×17.3
東京国立博物館

30
鈴木春信
寺小姓と上臈
1765～70（明和2～7）年頃
木版、紙
19.9×28.0
島根県立美術館

31
鈴木春信
松の内
1765～70（明和2～7）年頃
木版、紙
19.9×28.0
島根県立美術館

32
鈴木春信
風流艶色真似ゑもん まねへもん十四
1770（明和7）年
木版、紙
21.1×27.4
島根県立美術館

33
鈴木春信
誘惑
1765～70（明和2～7）年頃
木版、紙
19.9×28.0
島根県立美術館

34
喜多川歌麿
小松びき
1801～04年（享和期）
木版、紙
25.9×38.1
島根県立美術館

35
喜多川歌麿
忠臣蔵　五段目
1790年代頃（寛政後期）
木版、紙
37.7×24.9
島根県立美術館

36
喜多川歌麿
お染久松
1801～04年頃（享和期）
木版、紙
58.3×10.2
島根県立美術館

37
喜多川歌麿
四ツ手網船遊
1790年代頃（寛政後期）
木版、紙 三枚続の内二枚
各36.5×25.0
島根県立美術館

38
歌川国芳
源氏雲浮世画合　花散里
1846（弘化3）年頃
木版、紙
36.3×25.4
島根県立美術館

39
歌川国芳
源氏雲拾遺　八橋
1846（弘化3）年頃
木版、紙
36.5×25.5
島根県立美術館

40
吉川観方
入相告ぐる頃
1918（大正7）年
絹本着色 二曲一双屏風
各161.0×198.0
京都市立芸術大学芸術資料館

41
三宅凰白
楽屋風呂から
1915（大正4）年
絹本着色 二曲一隻屏風
168.4×172.8
京都市立芸術大学芸術資料館

42
高畠華宵
うららか
1933（昭和8）年
絹本着色 軸
96.5×27.0
弥生美術館

43
村山槐多
二人の少年（二少年図）
1914（大正3）年
水彩、紙
80.5×60.5
個人蔵（世田谷文学館寄託）

44-1
高畠華宵
『日本少年』22巻3号（昭和2年3月）表紙
1927（昭和2）年
印刷、紙
22.2×15.9
弥生美術館

44-2
高畠華宵
『日本少年』22巻1号（昭和2年1月）表紙
1927（昭和2）年
印刷、紙
22.2×15.9
弥生美術館

44-3
高畠華宵
『日本少年』22巻5号（昭和2年5月）表紙
1927（昭和2）年
印刷、紙
22.2×14.9
弥生美術館

44-4
高畠華宵
『日本少年』26巻8号（昭和6年8月）表紙
1931（昭和6）年
印刷、紙
22.2×14.9
弥生美術館

44-5
高畠華宵
『日本少年』26巻2号（昭和6年2月）表紙
1931（昭和6）年
印刷、紙
22.2×14.9
弥生美術館

44-6
高畠華宵
『日本少年』22巻8号（昭和2年8月）表紙
1927（昭和2）年
印刷、紙
22.8×15.8
弥生美術館

44-7
高畠華宵
『日本少年』22巻10号（昭和2年10月）表紙
1927（昭和2）年
印刷、紙
22.9×15.8
弥生美術館

44-8
高畠華宵
『日本少年』22巻11号（昭和2年11月）表紙
1927（昭和2）年
印刷、紙
22.9×15.8
弥生美術館

44-9
高畠華宵
『日本少年』21巻10号（大正15年10月）表紙
1926（大正15）年
印刷、紙
22.2×15.0
弥生美術館

44-10
高畠華宵
『日本少年』22巻6号（昭和2年6月）表紙
1927（昭和2）年
印刷、紙
21.6×15.1
弥生美術館

44-11
高畠華宵
『日本少年』21巻7号（大正15年7月）
1926（大正15）年
印刷、紙
22.1×14.9
弥生美術館

44-12
高畠華宵
『日本少年』21巻6号（大正15年6月）
1926（大正15）年
印刷、紙
22.1×14.9
弥生美術館

44-13
高畠華宵
『日本少年』22巻5号（昭和2年5月）
1927（昭和2）年
印刷、紙
22.1×14.9
弥生美術館

44-14
高畠華宵
『日本少年』21巻10号（大正15年10月）
1926（大正15）年
印刷、紙
22.1×14.9
弥生美術館

44-15
高畠華宵
『日本少年』27巻9号（昭和7年9月）
1932（昭和7）年
印刷、紙
22.1×14.9
弥生美術館

44-16
高畠華宵
『日本少年』22巻6号（昭和2年6月）
1927（昭和2）年
印刷、紙
22.1×14.9
弥生美術館

45
都合により、不出品

46
金子國義
殉教
1995（平成7）年
油彩、カンバス
116.7×91.0
金子修氏

47
金子國義
メッセージ
1983（昭和58）年
油彩、カンバス
45.5×38.0
金子修氏

48
山本タカト
夕化粧
1997（平成9）年
アクリル、紙
59.2×42.0
作家蔵

49
山本タカト
天草四郎時貞、島原之乱合戦之図
2004（平成16）年
アクリル、紙
34.0×72.0
作家蔵

50
山本タカト
Nosferatu・罠
2018（平成30）年
アクリル、紙
40.0×30.0
個人蔵

51-1
魔夜峰央
「パタリロ危うし！」予告カット（1979年『花とゆめ』13号／花とゆめCOMICS『パタリロ！』第1巻カバー）
1979（昭和54）年
インク・水彩、紙

51-2
魔夜峰央
「メモワール」トビラ（1983年『花とゆめ』2号）
1983（昭和58）年
インク、紙

51-3
魔夜峰央
「プリンス・マライヒ」（1980年『花とゆめ』9号）
1980（昭和55）年
インク、紙

51-4*
魔夜峰央
「パタリロ大混戦」後編予告カット
（1979年『花とゆめ』18号）
1979（昭和54）年
インク・水彩、紙

51-5*
魔夜峰央
「バンコランVSバンコラン」トビラ
（1983年『花とゆめ』4号）
1983（昭和58）年
インク、紙

51-6*
魔夜峰央
「墓に咲くバラ」前編（1979年『花とゆめ』8号）
1979（昭和54）年
インク、紙

51-7*
魔夜峰央
「その男バンコラン」扉絵
（1981年『花とゆめ』18号）
1981（昭和56）年
インク、紙

52
魔夜峰央
「翔んで埼玉」PART IIトビラ
1983（昭和58）年
インク・水彩、紙

53
絵師不詳
若衆歌舞伎図
1661〜73年頃（寛文期）
紙本著色 軸
73.2×36.1
島根県立美術館

54
絵師不詳
大小の舞図
1630〜60年頃（寛永後期〜万治期）
紙本着色 軸
77.9×37.7
千葉市美術館

55
絵師不詳
大小の舞図
17世紀（江戸時代初期）
紙本着色 軸
38.9×25.5
板橋区立美術館

56
絵師不詳
男舞図
1661〜73年頃（寛文期）
紙本着色 軸
76.1×31.3
東京国立博物館

57
井上東籬
瀬川菊之丞図
18世紀（江戸時代中期）
紙本着色 軸
66.8×26.3
東京国立博物館

58
菱川師胤
中村竹三郎図
1716（享保元）年頃
絹本着色 軸
69.9×32.6
千葉市美術館

59
東洲斎写楽
市川男女蔵の奴一平
1794（寛政6）年
木版、紙
35.8×23.9
島根県立美術館

60
歌川豊国（三代）
揚巻の助六（八代目）市川団十郎　三升
1860（万延元）年
木版、紙
36.2×24.2
千葉市美術館

61
歌川豊国
助六　市川団十郎
1811（文化8）年
木版、紙
38.4×26.0
早稲田大学坪内博士記念演劇博物館

62
歌川豊国（二代）
助六　市川団十郎
18世紀末～19世紀初期（江戸時代後期）
木版、紙
38.2×25.9
早稲田大学坪内博士記念演劇博物館

63
歌川豊国（三代）
花川戸の助六
1850（嘉永3）年
木版、紙
35.0×25.8
早稲田大学坪内博士記念演劇博物館

64
歌川豊国
あけ巻の助六　市川八百蔵
1802（享和2）年頃
木版、紙
37.0×25.5
島根県立美術館

65
歌川国貞
曽我五郎ときむね　市川團十郎
1812（文化9）年頃
木版、紙 二枚組の内一枚
37.6×25.4
島根県立美術館

66
鳥居清忠
夏祭
大正時代
木版、紙
44.5×28.7
島根県立美術館

67
山村耕花
梨園の華
十一世片岡仁左衛門の大星由良之助
1916（大正5）年
木版、紙
33.0×22.8
島根県立美術館

68
山村耕花
梨園の華　初世中村鴈治郎の茜半七
1920（大正9）年
木版、紙
40.2×27.2
島根県立美術館

69
山村耕花
梨園の華　七世松本幸四郎の助六
1920（大正9）年
木版、紙
40.0×28.0
島根県立美術館

70
鳥居清長
出語り図
三代目瀬川菊之丞と四代目岩井半四郎
1788（天明8）年
木版、紙
38.3×26.1
島根県立美術館

71-1
歌川豊国（三代）
当世好男子伝　林中に比す　鮫鞘四郎三
1859（安政6）年
木版、紙
37.2×25.3
早稲田大学坪内博士記念演劇博物館

71-2
歌川豊国（三代）
当世好男子伝　公孫勝に比す　幡随意長兵衛
1859（安政6）年
木版、紙
35.8×24.6
早稲田大学坪内博士記念演劇博物館

71-3
歌川豊国（三代）
当世好男子伝　張淳に比す　夢の市郎兵衛
1859（安政6）年
木版、紙
35.5×24.4
早稲田大学坪内博士記念演劇博物館

71-4
歌川豊国（三代）
当世好男子伝　花和尚魯智深に比す
朝比奈藤兵衛
1858（安政5）年
木版、紙
35.7×24.4
早稲田大学坪内博士記念演劇博物館

71-5
歌川豊国（三代）
当世好男子伝　行者武松に比す　腕の喜三郎
1858（安政5）年
木版、紙
36.0×24.5
早稲田大学坪内博士記念演劇博物館

71-6
歌川豊国（三代）
当世好男子伝　九紋龍支進に比す のざらし語助
1858（安政5）年
木版、紙
36.0×24.8
早稲田大学坪内博士記念演劇博物館

72-1
歌川豊国（三代）
金神蝶五郎
1853（嘉永6）年
木版、紙
36.5×25.5
早稲田大学坪内博士記念演劇博物館

72-2
歌川豊国（三代）
本町綱五郎
1853（嘉永6）年
木版、紙
36.5×24.9
早稲田大学坪内博士記念演劇博物館

72-3
歌川豊国（三代）
放駒の蝶吉
1853（嘉永6）年
木版、紙
36.5×25.5
早稲田大学坪内博士記念演劇博物館

72-4
歌川豊国（三代）
幻竹右衛門
1853（嘉永6）年
木版、紙
36.6×24.5
早稲田大学坪内博士記念演劇博物館

72-5
歌川豊国（三代）
鹿の子寛兵衛
1853（嘉永6）年
木版、紙
36.5×25.5
早稲田大学坪内博士記念演劇博物館

73-1
歌川豊国
諸商人五枚続　三升水
1813（文化10）年頃
木版、紙
38.8×25.2
島根県立美術館

73-2
歌川豊国
諸商人五枚続　曙山虫うり
1813（文化10）年頃
木版、紙
38.8×25.2
島根県立美術館

73-3
歌川豊国
諸商人五枚続　秀桂団扇
1813（文化10）年頃
木版、紙
38.8×25.2
島根県立美術館

73-4
歌川豊国
諸商人五枚続　三朝植木
1813（文化10）年頃
木版、紙
38.8×25.2
島根県立美術館

73-5
歌川豊国
諸商人五枚続　杜若地紙
1813（文化10）年頃
木版、紙
38.8×25.2
島根県立美術館

74-1
歌川国芳
誠忠義士傳　一　大星由良之助良雄
1843～47（天保14～弘化4）年
木版、紙
34.4×24.0
青木コレクション（千葉市美術館寄託）

74-2
歌川国芳
誠忠義士傳　二　大星力弥良兼
1843～47（天保14～弘化4）年
木版、紙
34.4×24.0
青木コレクション（千葉市美術館寄託）

74-3
歌川国芳
誠忠義士傳　三　矢頭與茂七教兼
1843～47（天保14～弘化4）年
木版、紙
34.4×24.0
青木コレクション（千葉市美術館寄託）

74-4
歌川国芳
誠忠義士傳　八　行川三平定則
1843～47（天保14～弘化4）年
木版、紙
34.4×24.0
青木コレクション（千葉市美術館寄託）

74-5
歌川国芳
誠忠義士傳　十　礒合重郎右衛門正久
1843～47（天保14～弘化4）年
木版、紙
34.4×24.0
青木コレクション（千葉市美術館寄託）

74-6
歌川国芳
誠忠義士傳　十四　大鷹玄吾忠雄
1843～47（天保14～弘化4）年
木版、紙
34.4×24.0
青木コレクション（千葉市美術館寄託）

74-7
歌川国芳
誠忠義士傳　十七　岡島弥惣右ヱ門常樹
1843～47（天保14～弘化4）年
木版、紙
34.4×24.0
青木コレクション（千葉市美術館寄託）

74-8
歌川国芳
誠忠義士傳　二十　徳田貞右衛門行高
1843～47（天保14～弘化4）年
木版、紙
34.4×24.0
青木コレクション（千葉市美術館寄託）

74-9
歌川国芳
誠忠義士傳　三十三　菅屋三之丞正利
1843～47（天保14～弘化4）年
木版、紙
34.4×24.0
青木コレクション（千葉市美術館寄託）

75-1
月岡芳年
和漢百物語　楠多門丸正行
1865（慶応元）年
木版、紙
34.8×22.8
町田市立国際版画美術館

75-2
月岡芳年
和漢百物語　不破伴作
1865（慶応元）年
木版、紙
34.5×22.7
町田市立国際版画美術館

75-3
月岡芳年
和漢百物語　左馬之助光年
1865（慶応元）年
木版、紙
34.7×22.5
町田市立国際版画美術館

75-4
月岡芳年
和漢百物語　大宅太郎光圀
1865（慶応元）年
木版、紙
34.8×22.5
町田市立国際版画美術館

75-5
月岡芳年
和漢百物語　鷺池平九郎
1865（慶応元）年
木版、紙
34.6×22.6
町田市立国際版画美術館

75-6
月岡芳年
和漢百物語　小野川喜三郎
1865（慶応元）年
木版、紙
34.4×22.8
町田市立国際版画美術館

75-7
月岡芳年
和漢百物語　宮本無三四
1865（慶応元）年
木版、紙
34.6×22.7
町田市立国際版画美術館

75-8
月岡芳年
和漢百物語　仁木弾正直則
1865（慶応元）年
木版、紙
34.8×23.0
町田市立国際版画美術館

76-1
月岡芳年
魁題百撰相　大塔宮
1868（明治元）年
木版、紙
35.6×24.2
町田市立国際版画美術館

76-2
月岡芳年
魁題百撰相　足利義輝公
1868（明治元）年
木版、紙
35.4×24.1
町田市立国際版画美術館

76-3
月岡芳年
魁題百撰相　鷺池平九郎
1868（明治元）年
木版、紙
36.2×24.8
町田市立国際版画美術館

76-4
月岡芳年
魁題百撰相　滋野左ヱ門佐幸村
1868（明治元）年
木版、紙
36.4×24.5
町田市立国際版画美術館

76-5
月岡芳年
魁題百撰相　森蘭丸
1868（明治元）年
木版、紙
35.9×24.7
町田市立国際版画美術館

76-6
月岡芳年
魁題百撰相　森坊丸
1868（明治元）年
木版、紙
35.9×24.4
町田市立国際版画美術館

76-7
月岡芳年
魁題百撰相　森力丸
1868（慶應4）年
木版、紙
36.1×24.2
町田市立国際版画美術館

76-8
月岡芳年
魁題百撰相 松永春松
1869（明治2）年
木版、紙
35.8×24.2
町田市立国際版画美術館

77
高畠華宵
主税の奮戦
昭和初期
印刷、紙
16.4×11.3
弥生美術館

78
高畠華宵
月下の小勇士
1929（昭和4）年
印刷、紙
42.6×31.8
弥生美術館

79
高畠華宵
杜鵑一声
1926（大正15）年
印刷、紙
24.9×17.3
弥生美術館

80
高畠華宵
古城の春
1927（昭和2）年
印刷、紙
23.5×16.5
弥生美術館

81
高畠華宵
馬賊の唄
1929（昭和4）年
印刷、紙
16.7×11.2
弥生美術館

82
高畠華宵
さらば故郷！
1929（昭和4）年
印刷、紙
17.4×11.6
弥生美術館

83
山口将吉郎
桜ふぶき
1929（昭和4）年
印刷、紙
47.5×32.7
弥生美術館

84
山口将吉郎
馬上の武田伊那丸
1927（昭和2）年
印刷、紙
17.5×11.6
弥生美術館

85
伊藤彦造
阿修羅天狗
1951（昭和26）年
インク、紙
15.5×30.6
弥生美術館

86
伊藤彦造
杜鵑一声
1929（昭和4）年
印刷、紙
47.2×31.2
弥生美術館

87
山口晃
夢枕獏 著『大帝の剣』（角川文庫）装画
2015～16（平成27～28）年
ペン・墨・水彩、紙
三枚組
①29.7×43.0 ②29.7×21.0 ③29.7× 21.0
作家蔵

88
松岡映丘
屋島の義経
1929（昭和4）年
絹本着色 額
188.0×99.5
東京国立近代美術館

89
猪飼嘯谷
頼朝手向の躑躅
1938（昭和13）年
紙本着色 額
176.0×119.0
京都市美術館

90
安田靫彦
源氏挙兵（頼朝）
1941（昭和16）年
紙本着色 軸
158.0×68.0
京都国立近代美術館

91
安田靫彦
静訣別之図
1907（明治40）年頃
絹本着色 軸
146.3×94.5
滋賀県立美術館

92
川合玉堂
小松内府図
1899（明治32）年
絹本着色 軸
167.4×115.3
東京国立近代美術館

93
テレビアニメシリーズ「聖闘士星矢」
原作：車田正美
シリーズディレクター：森下孝三、菊池一仁
シリーズ構成：小山高生、菅良幸
1986～89（昭和61～64）年放映
東映アニメーション

94
乃希
出陣
2021（令和3）年
デジタルデータ
益田市

95-1
竹宮惠子
少年オーギュスト（『風と木の詩』より）
1976～84（昭和51～59）年
原画ダッシュ
42.0×29.7
京都精華大学国際マンガ研究センター

95-2
竹宮惠子
薔薇の上に（『風と木の詩』より）
1976～84（昭和51～59）年
原画ダッシュ
42.0×29.7
京都精華大学国際マンガ研究センター

95-3
竹宮惠子
KISS・接吻（『風と木の詩』より）
1976～84（昭和51～59）年（画初出：1977年）
原画ダッシュ
42.0×29.7
京都精華大学国際マンガ研究センター

95-4
竹宮惠子
青い夕暮れ（『風と木の詩』より）
1976～84（昭和51～59）年
原画ダッシュ
42.0×29.7
京都精華大学国際マンガ研究センター

95-5
竹宮惠子
高貴なるもの（『風と木の詩』より）
1976～84（昭和51～59）年
原画ダッシュ
42.0×29.7
京都精華大学国際マンガ研究センター

X-2*
竹宮惠子（表紙）
『COMIC JUN』No.1
1978（昭和53）年
雑誌
25.6×18.0
島根県立石見美術館

X-3*
竹宮惠子（表紙）
『JUNE』No.2～14号
1982～84（昭和57～59）年
雑誌
各25.7×18.2
島根県立石見美術館

96
川井徳寛
共生関係～自動幸福～
2008（平成20）年
油彩、カンバス
162.1×130.3
鎌苅宏司氏

97
川井徳寛
Sleep collector
2010（平成22）年
油彩、カンバス
45.5×38.0
YAMAMOTOコレクション

98
川井徳寛
相利共生／Mutualism～automatic ogre exterminator
2011（平成23）年
油彩、カンバス
45.5×38.0
田邊育男氏

99
唐仁原希
もういいかい
2016（平成28）年
油彩、カンバス
162.0×194.0
作家蔵

100
唐仁原希
キミを知らない
2015（平成27）年
油彩、カンバス
30.0×162.0
作家蔵

101
唐仁原希
旅に出る虹の子ども
2020（令和2）年
油彩、カンバス
130.0×162.0
作家蔵

102
入江明日香
L'Alpha et l'Oméga
2019（平成31／令和元）年
ミクストメディア　六曲一双屏風
各158.0×516.0
丸沼芸術の森

103
入江明日香
持国天
2016（平成28）年
ミクストメディア
160.0×100.0
丸沼芸術の森

104
入江明日香
廣目天
2016（平成28）年
ミクストメディア
160.0×100.0
丸沼芸術の森

105
木村了子
男子楽園図屏風 － EAST & WEST
2011（平成23）年
紙本着色　六曲一双屏風
各207.0×406.0
作家蔵

106
木村了子
夢のハワイ－ Aloha 'Oe Ukulele
2016（平成28）年
絹本着色　二曲一隻屏風
186.0×166.7
作家蔵

107
木村了子
月下美人図
2020（令和2）年
絹本墨彩、黒銀箔　軸
52.0×160.0
作家蔵

108-1
よしながふみ
『大奥』第1巻カバーイラスト
2005（平成17）年
複製原画
42.0×29.7

108-2
よしながふみ
『大奥』（『メロディ』2004年8月号トビラ／1巻口絵）
2004（平成16）年
複製原画
42.0×29.7

108-3
よしながふみ
『大奥』2巻カバーイラスト
2006（平成18）年
複製原画
42.0×29.7

108-4
よしながふみ
『大奥』（『メロディ』2006年4月号表紙／2巻口絵）
2006（平成18）年
複製原画
42.0×29.7

108-5
よしながふみ
『大奥』18巻カバーイラスト
2020（令和2）年
複製原画
42.0×29.7

108-6
よしながふみ
『大奥』（『メロディ』2008年4月号／4巻収録）
2008（平成20）年
複製原画
36.4×25.7

108-7
よしながふみ
『大奥』（『メロディ』2008年4月号／4巻収録）
2008（平成20）年
複製原画
36.4×25.7

108-8
よしながふみ
『大奥』（『メロディ』2021年2月号／19巻収録）
2021（令和3）年
複製原画
36.4×25.7

108-9
よしながふみ
『大奥』（『メロディ』2021年2月号／19巻収録）
2021（令和3）年
複製原画
36.4×25.7

108-10
よしながふみ
『大奥』（『メロディ』2021年2月号／19巻収録）
2021（令和3）年
複製原画
36.4×25.7

109
吉田芙希子
風がきこえる
2021（令和3）年
ポリエステル樹脂、FRP、サーフェイサー
235.0×190.0×31.5

110
舟越桂
風をためて
1983（昭和58）年
楠に彩色、大理石
91.0×41.0×28.0
栃木県立美術館

111
舟越桂
ルディーの走る理由
1982（昭和57）年
楠に彩色、大理石
75.5×49.0×22.5
野木町（栃木県立美術館寄託）

112-1
金巻芳俊
空刻メメント・モリ
2021（令和3）年
木彫、榧、楠に彩色
200.0×56.0×40.0
フマコンテンポラリートーキョー｜文京アート

112-2*
金巻芳俊
空刻メメント・モリ
2021（令和3）年
ドローイング、鉛筆、コンテ、紙
100.0×72.7
フマコンテンポラリートーキョー｜文京アート

113-1
市川真也
Lucky star
2021（令和3）年
アクリル、カンバス
60.6×72.7
作家蔵

113-2
市川真也
A head full of dreams
2021（令和3）年
アクリル、カンバス
60.6×72.7
作家蔵

113-3
市川真也
Sunshine day
2020（令和2）年
アクリル、カンバス
22.7×15.8
作家蔵

113-4
市川真也
Bright moments
2020（令和2）年
アクリル、カンバス
41.0×31.8
作家蔵

113-5
市川真也
Marz
2019（平成31／令和元）年
アクリル、カンバス
31.8×41.0
作家蔵

113-6
市川真也
Fake & true
2020（令和2）年
アクリル、カンバス
24.2×33.3
作家蔵

113-7
市川真也
Boy with Luv
2021（令和3）年
アクリル、カンバス
45.5×53.0
作家蔵

114-1
森栄喜
"Untitled" from the Family Regained series
2017（平成29）年
Cプリント
81.4×95.0
作家蔵

114-2
森栄喜
"Untitled" from the Family Regained series
2017（平成29）年
Cプリント
81.4×95.0
作家蔵

114-3
森栄喜
"Untitled" from the Family Regained series
2017（平成29）年
Cプリント
81.4×95.0
作家蔵

115-1
森栄喜
"Untitled" from the Family Regained series
2017（平成29）年
ゼラチン・シルバー・プリント
49.7×58.0
作家蔵

115-2
森栄喜
"Untitled" from the Family Regained series
2017（平成29）年
ゼラチン・シルバー・プリント
34.0×29.1
作家蔵

115-3
森栄喜
"Untitled" from the Family Regained series
2017（平成29）年
ゼラチン・シルバー・プリント
34.0×29.1
作家蔵

116
海老原靖
colors
2021（令和3）年
油彩、カンバス 三十二枚組
各33.0×24.2
作家蔵

117-1
ヨーガン・アクセルバル
"untitled/verse two"
from the Go To Become series
2017（平成29）年
アーカイバル・ピグメント・プリント
72.9×91.3
作家蔵

117-2
ヨーガン・アクセルバル
"untitled/1:38AM"
from the Go To Become series
2017（平成29）年
アーカイバル・ピグメント・プリント
32.0×44.0
作家蔵

117-3
ヨーガン・アクセルバル
"untitled/2:41AM"
from the Go To Become series
2017（平成29）年
アーカイバル・ピグメント・プリント
22.4×29.5
作家蔵

117-4
ヨーガン・アクセルバル
"untitled/4:43AM"
from the Go To Become series
2017（平成29）年
アーカイバル・ピグメント・プリント
22.4×29.5
作家蔵

118
井原信次
Afterimage
2018（平成30）年
油彩、カンバス、パネル
72.7×50.0
個人蔵

119
井原信次
Daily gate
2012（平成24）年
油彩、パネル
72.7×50.0
個人蔵

謝辞

展覧会の開催と本書の刊行にあたり、貴重なご所蔵品をご出品賜り、本書への掲載を許可してくださいました皆様、
またご協力いただきました関係各機関、諸氏、およびここにお名前を差し控えさせていただいた方々に、
深く感謝の意を表します。（敬称略・50音順）

赤木 美智
ヨーガン・アクセルバル
阿部 浩子
天野 敬子
五十嵐 浩司
池田 隆代
市川 真也
伊藤 布三子
井原 信次
入江 明日香
岩田 教達
岩淵 知恵
印田 由貴子
内田 静枝
宇留野 隆雄
海老原 靖
大河内 禎
大森 拓土
小倉 実子
長田 実穂
影山 亮
金子 修
金巻 芳俊
鎌苅 宏司
川井 徳寛
木村 理恵子
木村 了子
窪田 真弓
倉持 佳代子
小池 智子
河野 和子
佐野 晃一郎
菅原 多喜夫
杉山 さゆり
須崎 勝茂
鈴木 さとみ
鈴木 廣之
大明 敦
髙野 美波
髙橋 睦郎
武田 優子
竹宮 惠子
田邊 育男
田野 葉月
玉屋 喜崇
都築 千重子
鶴見 香織
唐仁原 希
遠山 公一
外舘 惠子
中橋 健一
中村 圭子
中山 摩衣子
乃希
長谷川 静生
原 辰吉
原田 真澄
半沢 潤
平井 憲太郎
蕗谷 龍夫
舟越 桂
夫馬 笑奈
夫馬 正男
保坂 潤子

牧口 千夏
松井 菜摘
松岡 まり江
松﨑 なつひ
松元 雅夫
魔夜 峰央
宮﨑 晴子
村瀬 可奈
森 栄喜
安田 由紀夫
山岸 涼子
山口 晃
山口 真有香
ヤマダトモコ
山田 マリエ
山本 タカト
山本 花梨
山本 雅一
湯浅 淑子
ユー スギョン
横里 隆
吉岡 知子
吉田 芙希子
よしなが ふみ
四谷 シモン
依田 徹

株式会社 アップタイト
板橋区立美術館
株式会社 上ノ空
京都国立近代美術館
京都市美術館
京都市立芸術大学芸術資料館
京都精華大学国際マンガ研究センター
ギャラリー玉英
ギャラリイK
滋賀県立美術館
新発田市文化行政課
島根県立美術館
株式会社 青牛居
世田谷文学館
株式会社 宝島社
たばこと塩の博物館
千葉市美術館
天台眞盛宗 東京別院 眞盛寺
東映アニメーション株式会社
東京国立近代美術館
東京国立博物館
公益財団法人 遠山記念館
栃木県立美術館
新潟市マンガ・アニメ情報館
野木町
株式会社 白泉社
蕗谷虹児記念館
フマコンテンポラリートーキョー｜文京アート
益田市
町田市立国際版画美術館
丸沼芸術の森
有限会社 山岸プロダクション
弥生美術館
早稲田大学坪内博士記念演劇博物館
KEN NAKAHASHI
MIZUMA ART GALLERY

［展覧会］
2021年9月23日（木・祝）〜11月3日（水・祝）
埼玉県立近代美術館

主催：埼玉県立近代美術館
協力：ヤマト運輸株式会社、JR東日本大宮支社、FM NACK 5

2021年11月27日（土）〜2022年1月24日（月）
島根県立石見美術館

主催：島根県立石見美術館、しまね文化振興財団、中国新聞社、日本海テレビ
協力：ヤマト運輸株式会社
後援：芸術文化とふれあう協議会

執筆　石田美紀（新潟大学教員）
五味良子（埼玉県立近代美術館学芸員）
佐伯綾希（埼玉県立近代美術館学芸員）
左近充直美（島根県立石見美術館専門学芸員）
川西由里（島根県立石見美術館専門学芸員）

装丁　塚原敬史（トリムデザイン）

翻訳　小川紀久子

編集　楠田博子（青幻舎）

本書は企画展「美男におわす」展の公式図録として刊行されました。

美男におわす

編者　埼玉県立近代美術館　五味良子、佐伯綾希
島根県立石見美術館　左近充直美、川西由里

発行日　2021年9月23日　初版発行
2021年11月12日　第2刷発行

発行者　片山誠

発行所　株式会社青幻舎
〒604-8136 京都市中京区梅忠町9-1
TEL 075-252-6766
FAX 075-252-6770
https://www.seigensha.com

印刷・製本　株式会社サンエムカラー

ISBN 978-4-86152-861-3　C0070
Printed in Japan